De oudste jo

Gerrit Krol
De oudste jongen

Amsterdam

Em. Querido's Uitgeverij B.V.

1998

De meeste hoofdstukken verschenen eerder als feuilleton in het *Nieuwsblad van het Noorden*.

ISBN 90 214 7249 X / NUGI 300

opgedragen aan Reinold Kuipers

Inhoud

I

II

III

IV

I

De stad

Na een lange fietstocht was ik pas terug in de stad wanneer ik het ronde bord '50 km' passeerde met daarboven de naam GRONINGEN, die mij zo vertrouwd was dat daar ook net zo goed GERRIT KROL kon staan, vond ik. 'n Vriend van mij, Jan Bonnema, had hetzelfde gevoel: zet er maar BONNEMA neer in plaats van GRONINGEN. De stad, c'est moi. Ik wilde het graag geloven, al begon zijn naam dan niet met een G.

Wie zich identificeert met de stad waar men geboren en getogen is, doet dat om zich geborgen te voelen en daarvoor heb je verder niemand nodig, of je doet het om je sterk te voelen en daarvoor heb je wel degelijk anderen nodig, je wilt je meten. Je bezoekt de zondagse voetbalwedstrijden. Je schreeuwt je stadgenoten een hartstochtelijk 'schop ze veur de pootn' toe of 'traapje se dea', omdat zelfs een schamele 1 – 0 overwinning voor jou een zege van het leven op de dood betekent. Wie zich met de ander meet doet dit bijna altijd door middel van het getal: direct, op het veld, of indirect, gecumuleerd via krant en vakblad. Rijtjes, volgordes, totalen, indexcijfers, statistieken worden bestudeerd en gekoesterd of, zodra ze teleurstellen, afgedaan als 'verouderd'. Mijn criterium was vooral van geografische aard. Nieuwe atlassen werden meteen opengelegd om te zien hoe de stad erbij lag, gecontroleerd op de aanwas van zelfs het kleinste buitenwijkje. Zo onstuimig wilde ik dat Groningen een grote stad was.

Dit is even kinderlijk als normaal. Zolang je nog niet volwassen bent wordt je waarde als mens bepaald door de meetlat. Voor veel volwassenen geldt dat trouwens nog steeds, ook voor steden veel kleiner dan Groningen. Wie zich identificeert met bijvoorbeeld Zwolle omdat hij er woont, is blij dat de stad eindelijk honderdduizend inwoners heeft en ik ken Amsterdammers die al jarenlang uitkijken naar de dag dat hun stad de miljoen zal zijn gepasseerd en in de atlas een vierkantje krijgt. Intussen gaat Amsterdam elk jaar qua inwonersaantal achteruit. Amsterdam blijft op de kaart van Europa de vorm van een provinciaal cirkeltje houden, waar men maar het liefst niet naar kijkt. En Assen kreeg laatst zijn vijftigduizendste inwoner, maar dit feit is niet met een feest gevierd. Dat Assen verreweg de kleinste provinciehoofdstad is, hebben B&W nooit aan de grote klok willen hangen.

Groningen kreeg in 1927 zijn honderdduizendste inwoner. In mijn schooljaren waren het er 125 000. Het Getal. 'De stad Groningen heeft honderdvijfentwintigduizend inwoners' heette het op school, met de kracht van een axioma. En wij dreunden de namen van de provincies op: Groningen, Friesland, Drenthe, Overijssel... Ja, de lijst van provincies werd onveranderlijk aangevoerd door Groningen, onbetwist. 'Grönnen is altied nummer ain' was, in 1947, de naam van de handelstentoonstelling in het Stadspark. Een manifestatie die bedoeld was om 'de Hollanders' aan te trekken prijst zichzelf aan in het plaatselijke dialect – zelfs als kind vond ik dat onlogisch, en nogal provinciaal. De toegangspoort vond ik wel mooi, die had de vorm van de Eiffeltoren, een reusachtige A. Een vondst. Immers, de nummers van Groningse auto's begonnen met een A, Friese met een B, Drentse niet met een C, maar met een D, waarom weet ik niet. Deze belettering bevorderde beslist het provinciale gevoel. Als je ergens in de stad een auto met een D zag, dacht je: Drentse auto. Een keer zag ik een K, een auto helemaal uit Zeeland en daarvan was ik haast net zo onder de indruk als die keer dat ik in de haven van Delfzijl een lichtblauw schip zag waarvan gezegd werd dat het een Chileen was, of die regenachtige morgen dat we op het Hoofdstation, op het rangeerterrein, een aantal violette wagons zagen staan... uit Polen. Toen brak het besef door wat het betekent in een open stad te wonen: dat getallen er steeds minder toe deden. Vroeger, toen ze nog door muren en torens waren omsloten en de ene stad zich groter of rijker waande dan de andere, werd er tussen steden gevóchten. Nu ze open zijn, vechten ze niet meer tegen elkaar. Alleen op het voetbalveld. Groningen is veel te lang, tot 1874, een vestingstad geweest; de ontmanteling was, heette het, een bevrijding.

Hoe dat voelde kun je zien op een mooie foto uit 1901, van de Nieuwe Ebbingestraat, tegenover het Noorderplantsoen. Wij zijn gewend foto's uit het begin van deze eeuw met een nostalgisch oog te bekijken, maar dan bekijk je deze foto toch niet goed. De vestingwerken zijn opgeruimd, er zijn mooie herenhuizen voor in de plaats gekomen. Links loopt het spoor van de paardentram. Het Noorderplantsoen is jong, de weg naar het noorden is breed. En midden op die weg loopt iemand met een koe. Vroeger zou hij bij de poort zijn tegengehouden, zou hij hebben moeten bewijzen dat hij de koe niet gestolen had. Nu loopt hij er gewoon mee de stad uit! Moderne tijden. Op de stoep staan twee dienstbodes, in hun witte boezelaars, een praatje te maken. Het is voorjaar 1901, de eeuw is pas begonnen en de zon schijnt.

Al jaren weg uit Groningen, kan ik nog steeds geen atlas zien liggen zonder even te neuzen en te kijken of de stad recht is gedaan. Nog steeds is elk bericht over de stad mij welkom. De stad Groningen loopt tegen haar grenzen aan, lees ik. Alwéér, verdorie. Nochtans wordt de 'Stadjers' sterk afgeraden in de omliggende dorpen te gaan wonen. En de Hollanders die, op een verdwaalde zondagmiddag naar het Noorden gekomen, zich verbazen over de schoonheid van onze weilanden, moeten zich maar allemaal hier vestigen. Want 'er gaat niets boven Groningen'. De stad annexeert links en rechts. De 50 km-borden zijn opnieuw verplaatst. Maar veel industrie is er sinds de A in het Stadspark toch niet bij gekomen. Het is 'een stad van kooplieden en schooljeugd' las ik jaren geleden en dat is zo gebleven. Handelaren en studenten. Voor een 'booming town' moet je ergens anders wezen, overigens niet eens zover van huis. Toen Nederland zijn eigen bodemschatten ontdekte, kon ik het nieuws volgen in het Amerikaanse vakblad *Oil & Gas Journal*, waarin het plaatsje Slochteren maandelijks groter werd. Het kaartje van West-Europa toonde drie grote steden: Hamburg, Slochteren en The Hague. Ja, zo groot werd dit Slochteren, dat het een jaar later Groningen ging heten. En waar lag Groningen, vroeg toen iedere Amerikaan zich af. Alsof je een geologische kaart van het Pleistoceen in handen had: ergens tussen de North Sea en de Rhine River.

Ik woonde toen in het buitenland, gedetacheerd in Bahrein. Reed in een auto met een onbegrijpelijk, exotisch nummerbord.

Het gymnasium

Het gebouw stond, zwaar, symmetrisch, maar ook zonder veel nadruk, ingeklemd tussen de huizen. Het had een poort, met twee smalle deuren, waarvan er hoogstens één geopend was. Pas daarachter, als je doorliep, kwam je in de ruimte. Daar brak de school open om zich te koesteren in een Helleens zonnetje. Zo'n donker gebouw – dan waren, bij helder weer, de winters het lichtst.

Het gymnasium. Zes jaar stond ervoor. En al die keren heb ik maar één keer gespijbeld, één middag. En nooit ziek. Nooit baldadig, zelden geïnteresseerd in wat ik hoorde, toch zat ik daar niet met tegenzin. Ik ging naar school en ik ging weer naar huis, en 's middags nog eens. Altijd op dezelfde tijd, jaar in jaar uit. Ik kan me niet herinneren en ook niet voorstellen ooit te laat gekomen te zijn, of te vroeg – een levende natuurwet. Huiswerk kon je overdag doen, als je oplette. Het vereiste een zekere organisatie. Al gold dat niet voor mij. Ik had een grote, dubbele boekentas, van zeildoek. Ik vervoerde daarin al mijn boeken en schriften, elke dag. Ik hing hem tijdens het vervoer over de herenstang van mijn fiets, dus echt zwaar was hij niet. Zo kon ik na een luie avond nooit een boek of schrift vergeten hebben, want ik had altijd alles bij me.

Het was een school waar niets gebeurde. En ook niets mócht gebeuren, zo leek het wel. Geen excursies of schoolreizen. Geen sportwedstrijden – als het niet op papier gebeurde. Speerwerpen, paardenrennen – we lazen erover in Homerus. Onze ontluikende lichamelijkheid – we lazen er niet over en daarom probeerde ik er over te schrijven, want dan stond het tenminste op papier. Maar een dagboek was het niet. Ik kon geen zin schrijven zonder hem meteen door te strepen, dus drukte ik mij wat dit betreft liever uit in de vorm van geometrische tekens.

Uren, dagen, maanden, jaren – ik heb ze, al denkende, goed gebruikt. Niet met het leren van mijn lessen, want dat had veel sneller gekund. Een gymnasium kun je in vijf jaar doen, vier als je tot de echte slimmeriken behoort, maar zo slim was ik niet. Ik was een middelmatige leerling. Je kunt rustig zeggen dat een mens de eerste jaren van zijn bewuste leven op school bij voorkeur niet gebruikt om te leren, maar om dingen af te breken. Hij gooit zijn huid af en als hij een ziel heeft, dat wil zeggen een motor die ook loopt als hij alleen is, zal hij als de tijd gekomen is, die motor verwisselen voor een grotere, een definitieve. En daar zal ik mee bezig geweest zijn, op die schoolbanken, al die jaren. Misschien wel meer dan een ander, omdat ik het idee had niet zoveel meer te zijn dan die ene kale ziel. Ik had toevallig een vrij grote ziel. Groter dan die van de meeste anderen.

Waar het ene is kan het andere niet zijn. Ik had geen talent voor geschiedenis, geen geheugen voor verhalen. Ze maakten geen deel uit van mijn denkend bestaan. Iets is niet de oorzaak van iets anders omdat het eerder plaatsvond. In mijn wereldbeeld was, kortom, geen plaats voor 'eerder' en 'later'. Ik had dat gelezen toen ik in de tweede klas zat, in een dun boekje van dr. Van der Zanden, dat wij gebruikten bij het godsdienstonderwijs – één uur in de week. Daarin stond de regel die van alles wat ik in die jaren op het gymnasium heb geleerd en vergeten, het meest heeft betekend: 'Voor God is er geen eerder en later.' Dat was indrukwekkend. Het loste het probleem van de eeuwigheid op. En het rechtvaardigde (voorzover ik het begreep) mijn twijfel aan de causaliteit. Maar het betekende ook dat God niet kon spreken, niet op de manier waarop wij spreken: het ene woord na het andere. Daarom vond ik wiskunde opeens zo'n mooi vak. In de wiskunde is de tijd geen parameter, zoals in de natuurkunde. Natuurkunde was maar een 'toepassing'. Ik hield niet van toepassingen, want dat verwees naar de open wereld van de natuur. Naar de mens. In tegenstelling tot de mens bij Homerus en de mens in de natuur bestond wiskunde alléén op papier.

Ik begreep alleen niet wat het verschil tussen algebra en meetkunde was. Het verschil tussen een lijn die je tekent en een lijn die je berekent. Wist ik niet. Ik besloot daar wat aan te doen. Tussen de middag ging ik naar huis, maar nu nam ik mijn geweldige tas mee. Dat was dus die ene middag dat ik gespijbeld heb. Met voorbedachten rade zelfs. De volgende morgen zou ik horen wat de rector ervan had gezegd: 'Krol denkt dat hij al student is. Maar hij is het nog lang niet.'

Zolang hoefde dat niet meer te duren, ik zat al in de vijfde klas. Ik besteedde de hele middag aan het boekje *Analytische Meetkunde*, van Schrek, te beginnen bij bladzij 5, tot het einde. Als je niet wordt afgeleid, is alles zo moeilijk niet. Ik begreep het, mag ik wel zeggen, na één lezing. Niet alleen de inhoud, ook de methode. Eigenlijk hoef je dan niets meer over het vak te lezen, want in principe weet je alles. Dat is het mooie van wiskunde.

Hetzelfde deed ik, op een zaterdagmiddag, met stereometrie en op een zondagmiddag met algebra. Vanaf toen haalde ik voor wiskunde alleen nog maar negens en tienen, ook op het eindexamen. (Ik had daarbij concurrentie van een jongen uit Indië; we zijn een weddenschap aangegaan, wie telkens het eerst van het examentafeltje zou opstaan.) Ik had de hoogste cijfers, voor wiskunde. Zes tienen. Voor Latijn en Grieks, vakken die ik wat verwaarloosd had, kreeg ik tot mijn schrik drieën en voor Nederlands (maar dat kwam door de jarenlange onderzoekingen die ik had gedaan) helaas ook niet meer dan een drie. Ik kreeg een herexamen, haalde voor beide klassieke talen een vier en voor Nederlands een twee.

Dus, terwijl ik al van zowat iedereen op school afscheid had genomen, handen geschud, de conciërge een sigaar had gegeven, zat ik er in september weer, om alles over te doen. Ook wiskunde, gek genoeg. Ik was daar merkwaardig laconiek onder. Ik had op die manier veel tijd om over de wereld na te denken. Zolang het denken maar voortgaat is er niets aan de hand. Al die overpeinzingen leverden rond de kerst een heel mooie gedachte op, namelijk deze: dat je niet alles wat waar is ook bewijzen kunt. Voor de alfageest spreekt dit vanzelf, want een alfa is überhaupt niet in staat iets te bewijzen. Maar voor de bètageest had die gedachte een eigenaardige bekoring, omdat ze aangeeft wat de grens is tussen weten en niet-weten. Voorbeeld: sneeuw is wit. Dat is evident. Want je weet wat sneeuw is en wat wit is. Toch kun je die gelijkheid niet bewijzen. Dus je weet het niet zeker. En toch is het honderd procent waar.

Misschien was het onzin, maar ik raakte onder de indruk van mezelf. Een stem in de ruimte zei me dat ik gelijk had. Van Gödel had ik nog nooit gehoord, maar de echo's van zijn wereldschokkende ontdekking moeten toen al tot mij zijn doorgedrongen.

Jaren later las ik een artikel waarin mededeling werd gedaan van het kleurbegrip bij de Grieken. Daarin kwam een uitspraak voor van Anaxagoras, een van de oudste Griekse filosofen. Hij bewees dat sneeuw zwart was. En wel als volgt: water is zwart (de Grieken waren van mening dat water donker was), sneeuw is bevroren water, en dus is sneeuw zwart. Ik las deze bewering in het Engels. Om te laten zien dat het verhaal niet verzonnen was, stond het Griekse origineel erbij. En dat kon ik nog lezen ook.

Het huis

Op 5 september 1939 verhuisden wij van de Celebesstraat naar de Korreweg. Achteraf kan ik de motivatie van mijn ouders begrijpen: in het volgende jaar werd mijn zusje geboren en het benedenhuis in de Celebesstraat bood een gezin met vier kinderen niet voldoende ruimte. Het huis aan de Korreweg was ook een benedenhuis, maar het had drie slaapkamers en een grote serre, die in de loop van de jaren veelal als slaapkamer zou worden ingericht.

Daarbij kwam dat de Korreweg een zekere voornaamheid uitstraalde die de Celebesstraat nu eenmaal miste. In het bijzonder het rijtje waartoe ons huis behoorde viel op door verscheidenheid in kleur en bouw. Het was een streekje waar dokters woonden, een tandarts, een kolonel, een makelaar, nog een kolonel, een griffier en verder de gegoede middenklasse. Of wij tot de gegoede middenklasse behoorden was voor ons een weet, maar voor de buren nog zeer de vraag. Op de bewuste dag zou van de verhuiswagen, voortgetrokken door een paard, ongeveer vijftig meter voor zijn bestemming, de vooras breken. Het huisraad werd met mankracht over een toch ongewoon lange afstand naar ons huis gedragen, waarbij zelfs nog de Balistraat moest worden overgestoken. Mijn moeder noemde het lichtelijk gegeneerd 'een mooie bak'. Mijn vader was solidair, hielp energiek mee en noemde de verhuizers 'reuzekerels'.

Het was een huis met een, naar stadse begrippen, tamelijk grote voortuin. Ik heb pas later ervaren, en begrepen, wat de invloed is van een grote tuin, een kleine tuin of helemaal geen tuin op je maatschappelijke gedrag. Als ik voor het raam stond kon ik, door de grootte van de tuin, die in lengte toch zeker vijf meter bedroeg, voorbijgangers tijdig aan zien komen, groeten of bekijken en beoordelen. Als je geen tuin hebt en de trottoirs zijn smal, kun je dat niet.

Het huis stond op het zuidoosten en ontving de ochtendzon in al haar glorie. De achterzijde stond op het noordwesten en zou in de zomermaanden misschien nog enige zon ontvangen hebben als niet een kubusvormige uitbouw dat onmogelijk had gemaakt. De serre bijvoorbeeld heeft nimmer de zon gezien.

Voor- en achterzijde van het huis waren verbonden door een lange, hoge gang. Links van de gang, als je binnenkwam, lagen de beide kamers en suite, en de serre met de glazen schuifdeuren. Aan de rechterzijde van de gang waren de toegangen tot respectievelijk het gasmeterhokje, de grote kast (de ruimte onder de trap van de bovenburen) en de wc. Gang en wc waren via het plafond verbonden met de buitenwereld door een bovenlicht: glas dat in de loop der jaren zwarter en zwarter werd, maar nooit is gebroken, zodat het ook nooit is vervangen.

De gang kwam rechtstreeks uit op de keuken en zijwaarts op een trap die naar boven voerde, naar de slaapkamer van mijn ouders, een witte kamer met een wit ledikant en een witte wastafel en twee dingen aan de wand: een foto van de op jeugdige leeftijd aan hersenvliesontsteking overleden moeder van mijn moeder en, eveneens ingelijst, in gotisch schrift, Gezang 232: 'Neem, Heer, mijn beide handen / en leid Uw kind / Tot ik aan d'eeuw'ge stranden / de ruste vind.' De kamer zag uit op de achtertuin en de huizen van de Padangstraat.

Naast de ouderlijke slaapkamer was de jongenskamer. In de oorlog hebben wij daar veel geslapen, hoewel we ook in de achterkamer hebben geslapen en in de serre. Toen we alle drie geelzucht hadden, lagen we boven, gedrieën in één groot bed te lezen, elkaar verhalen te vertellen en zetten we de boel op stelten. Dit was nog nooit vertoond! We kregen eten op bed en hadden een po die voor ons drieën te klein was. Maar er was geen sprake van dat we naar beneden, naar de koude wc gingen. Nee, zelfs als de pot tot de rand toe vol was, dan kon er nog wel een plas bij, desnoods met een bolle meniscus, maar wie de po deed overstromen, ja, die moest aan het dweilen.

Ons zusje sliep beneden. Toen wij beter waren gingen wij naar beneden en sliep zij weer boven, of in de serre. Zij heeft veel in de serre gelegen; en als zij weer naar boven ging, gingen wij naar de serre. Daar stond jaar in jaar uit een tweepersoons opklapbed.

Achter de keuken was nog een slaapkamer, die we in de oorlog niet hebben gebruikt omdat je er door de vloer ging. Zo verrot was die vloer, inclusief het balatum erop, dat het gat dat je erin stapte precies de vorm had van je schoen. Ook in de keuken ging je af en toe door de vloer. Daar is toen een plankje in gezet.

De keuken had twee provisiekasten. Een ondiepe, nette, voor brood, kaas, boter en een diepe, waar de flessen-met-gevaarlijke-inhoud stonden. Het bleekwater, de ammoniak, de spiritus, de jenever. Dat laatste niet zonder opzet.

'Een beste kerel,' zei mijn vader wel 's in het Fries, 'maar hij moest een slokje lusten.'

Een standaard grapje dat door mijn moeder niet werd gewaardeerd.

Ik dronk wel 's van de jenever, op zondagmorgen, als het stil was. Met een lepel. Ik vond het niet bijzonder lekker, maar dat vond ik levertraan ook niet.

Eén keer per jaar werd ik een middag 'thuisgehouden' vanwege de snijbooncampagne. Op de keukentafel lag een berg snijbonen die alle paarsgewijs in de machine werden gestoken terwijl het snijwieltje draaide. Op een gewone zaterdagmiddag was ik niet zonder protest aan de gang gegaan. Nu, doordat ik werd thuisgehouden, beschouwde ik het als werk voor volwassenen en deed ik mijn best. De gesneden bonen werden aan het eind van de middag ingemaakt, in een bruine Keulse pot. De bonen werden afgedekt met een stuk zeildoek, twee stukken hout in de vorm van halve cirkels en tenslotte een flinke zwerfkei. De pot kreeg een plaatsje in het kamertje achter de keuken, zonder door de vloer te zakken. Op school liep ik te vertellen dat wij zoveel bonen hadden ingemaakt dat 'een middelgrote stad er een jaar lang van kon eten', omdat dit een formulering was die overtuigde.

Het schilderij

Eens in de zoveel tijd onderging op aanwijzingen van mijn moeder het interieur van de beide kamers, de voor- en de achterkamer, een metamorfose. Stoelen werden van voren naar achteren geschoven of andersom en wij verhuisden mee. Gordijnen werden verkort of verlengd, er kwam nieuw behang, met of zonder plafondstrook en dan zou ik, zei m'n moeder, graag 's een heel mooi schilderij willen hebben.

'Dat schilderij komt er' zei mijn vader dan en ik weet wel zeker dat hij daarbij weer dacht aan een of andere oud-leerling van hem.

Verreweg het mooiste schilderij dat hij heeft gekocht was het eerste, en daar was ik bij. We liepen door Koudum, zijn geboortedorp, in 1940, 17 augustus om precies te zijn. Deze datum staat op het schilderij dat hij die dag kocht en dat op het moment dát hij het kocht geschilderd werd door een zekere Jan Bakker, een dorpsgenoot. Het was een zonnige dag en 17 augustus moet, heb ik uitgerekend, een zaterdag geweest zijn. Ik weet niet wat Jan Bakker door de week deed. Die zaterdag stond hij het laantje te schilderen dat uitliep op de tuin van het huis waar mijn moeder woonde, als meisje. Het laantje is na de oorlog verdwenen, opgegaan in de nieuwbouw. Maar in 1940 lag het er nog en kon het vereeuwigd worden. Een bomenrij slechts aan één zijde – is het dan een laantje of een zandweg? Het heette het vrijerslaantje. Misschien mag dat enige stem hebben.

Het laantje was maar kort, niet meer dan honderd meter. Rechts een ligusterhaag die grotendeels is kortgeknipt en ik herinner me het probleem: of de schilder het werk van de tuinman moest afmaken, dat was namelijk netter, en begrijpelijker – of dat hij gewoon maar de werkelijkheid moest weergeven. Hij heeft, gezien het schilderij, voor het laatste gekozen.

Achter de heg, rechts, lagen de tuinen: rode en witte kool, bonen waarvan een deel reeds is geplukt. De struiken half verdord en zelfs gerooid. Het schilderij laat een stoffige lichtbruine zandgrond zien. Op de achtergrond de bomen die ik zo goed kende: de appelbomen, de perenbomen, de grote pruimenboom. Links de bomen van het dorp, waarboven een spits kerktorentje uitsteekt.

Het laantje – daar kom ik vandaan.

De vakanties

De mooiste vakanties zijn die welke de charme hebben van ontbering: zonder warm en koud stromend water, zonder licht en voor kinderen komt daar nog bij: het avontuur van het ongeluk. En de warmte van elkaar: met z'n zessen in één kamer die ook keuken is en slaapkamer. Dat daarbij nogal 's een 'vriendje' mee moest, speciaal voor mij, heb ik nooit begrepen, het was nooit mijn idee. Het gaf altijd gelazer. De een lustte het eten niet, de ander had heimwee, wilde terug naar zijn moeder. Of als hij geen heimwee had, of geen moeder, dacht hij mij allerlei dingen – zoals je dat zegt – te kunnen bestellen. Meestal was ik nog gauwer zat van hem dan hij van mij, en pakte hij zijn spullen en reed hij naar huis, zonder nog iemand te groeten.

De vakanties begonnen altijd op zaterdagmiddag twee uur. Op de fiets achter elkaar aan de stad uit, altijd naar het zuiden. En niet ver. Begin jaren vijftig. De eerste vakantie in Norg, dat was trouwens in 1948, deden we het nog zonder vrachtrijder. Fietsten we met koffers vastgesnoerd op de bagagedrager. Regenjassen aan, want het kon gaan regenen.

Wanneer het regende, zaten we binnen, te lezen. Stapels *Panorama*'s, toen nog een fatsoenlijk familieblad, *Wereldkroniek*, *Het Beste*. Het huisje in Norg stond aan het einde van het Karrepad, tussen de bomen, in een dal waarin vaak water stond. Het had geen elektriciteit. Wanneer het donker werd, trok mijn vader de lamp aan. Suizend gaslicht, 'wit als de zon'.

Het huisje aan de Schapendrift in Zeegse had een dependance in de vorm van een oude bus, zonder wielen. Daar stonden vier smalle bedden in, paarsgewijs gestapeld. We wasten ons buiten. Bij een platte, rode pomp met een korte zwengel waarmee je, heen en weer als een ruitenwisser, het water naar boven haalde. Elektriciteit werd betrokken via een kabel die door de lucht naar de weg voerde, naar de dichtstbijzijnde lantaarnpaal. Alsof we kermisgasten waren. Het huisje stond alleen, het was omgeven met prikkeldraad. De Drentse Aa was niet ver weg. 's Avonds langs de bosrand lopend hoorden we de honderden kikkers zoals ik ze nooit meer gehoord heb, ook daar niet. Een hoge, bijna snerpende toon alsof er ergens op de horizon een machine aanstond. Als het een machine was geweest, hadden we het niet mooi gevonden, maar nu vonden we het mooi.

Plassen op de zandwegen van de voorbije regen. 's Avonds was meestal de lucht opgeklaard. Op de horizon een blauwzwarte wolkenbank, die – hadden we geleerd – niet veel goeds beloofde.

Terug over de zandverstuiving dwalend, zagen we de nieuwe huisjes aan de bosrand, de goudkust van Zeegse. We hadden één keer het geluk gehad zo'n huis te kunnen huren, samen met de familie Kuilman. In 1942. Het gloriejaar. Mooie foto's getuigen daarvan. Lachende gezichten, zegevierend en blond. Dát, plus het jaartal, suggereert misschien collaboratie met de Duitsers, maar de Duitsers waren nog niet tot onze levens doorgedrongen. Toen nog niet. Maar het blijft opmerkelijk dat die triomferende Kuilmanfoto's, in 1942 genomen, zo precies de mode van die tijd weerspiegelen. Zoals een gesteven kraag openlag, of zoals het jongenshaar was gekapt: de blonde schuine kuif, de diagonale spuuglok à la Hitler.

In de zomer van 1946, toen alles nog op de bon was, namen we ons eigen eten mee. Dat was die keer dat we naar Roden gingen. Misschien was het wel 1945. We gingen met de Drachtster tram. Deze vertrok van de Paterswoldseweg. Een trein zonder eigen spoorweg. Het hele stuk naar Peize en Roden reed hij in de berm. Als een tram. Hoewel het een trein was. Trok fluitend dat hij eraan kwam langs de boerderijen.

We werden staande vervoerd in goederenwagons, die, eenmaal vol, door de stationschef afgesloten werden. Stonden we in 't donker. Een man naast mij, met een witte pet, had het over 'middeleeuwse toestanden'. Toen zei je nog niet van Auschwitz, hoewel het daar wel op leek, zoals de deuren werden dichtgeschoven. Grendel erop. We hadden algauw een behoorlijke snelheid. Door de naden kon je zien waar je was.

In Roden aangekomen konden we onze spullen naar buiten tillen. We hadden, behalve een fiets, een kinderwagen bij ons met daarin alles wat we nodig hadden, eetgerei, extra kleren, petroleumstel (de grote gele driepitter), aardappels, schetsboeken, zaklantaarn, een oude bal. Zo'n grote, diepe kinderwagen op kleine wielen, daar kon ontzettend veel in.

Ons huisje stond aan de weg naar Steenbergen, achter wat struikgewas, aan de rand van een weiland. Het was klein en laag. Mijn vader kon er niet rechtop in staan. Het had vensters, maar in plaats van met glas waren die afgesloten met gaas. 's Zomers kon dat. We zouden er twee weken in doorbrengen, voornamelijk met het lezen van het blad *Kijk*, dat ons 'de gruwelen van de oorlog' toonde. Mijn moeder vroeg zich af of dat nou wel iets voor de kinderen was. Mijn vader stelde haar gerust.

Wat een goed idee om die schetsboeken mee te nemen! We tekenden ze vol met slagvelden, kanonnen, mijn broertjes en ik. Veel prikkeldraad, waarin gevangenen op de vlucht waren blijven hangen. Massagraven met blote, broodmagere mannen en vrouwen door elkaar gesmeten. We konden, de foto's ten spijt, eigenlijk niet goed plaatsen wat daar gebeurd was. Je kunt zeggen, zoiets moet je buiten het bereik van kinderen houden, maar ik geloof eerder dat het bereik van kinderen, ook al bestuderen ze de foto's en lezen ze de onderschriften, niet erg groot is, niet zo groot als wij denken. Weliswaar hebben we die foto's een tijd lang met alle verstand zitten bekijken, maar als het dan weer op tekenen aankwam, gaven we de voorkeur aan vliegtuigen, afweergeschut en prikkeldraad. De mens kiest wat hem het beste past. Buiten was het vrede.

Op een middag kregen we bezoek van een collega van mijn vader, met zijn gezin. Ze konden het aanvankelijk niet vinden.

'Daar moeten we wezen' hoorde ik opeens een harde stem zeggen.

'Man, da's ja een kippenhok' zei een vrouw. 'Verrek,' zei een jongen, 'er zitten mensen in.' Hij zei het op z'n Gronings: d'r zitn goennt in. Met de klemtoon op 'in'. Dat suggereert, meer dan de Nederlandse vertaling, een zekere verlatenheid: alsof het zelfs voor kippen niet goed genoeg was.

We kwamen tevoorschijn. Hun commentaar deerde ons niet. Als ze ons wilden uitlachen omdat we onze vakantie in een kippenhok doorbrachten, moesten ze dat maar doen. Een fotograaf ter plaatse zou vijftig jaar later het bewijs hebben kunnen leveren, in de krant, van 'mensonterende omstandigheden', maar daarvan was in die jaren gelukkig nog geen sprake.

De brandgang

De achtertuin lag op het noordwesten, erg veel bloemen wilden er niet bloeien. Er lag grind, er groeide gras. Tegen het huis lagen trottoirtegels. Daar kon, als het niet vroor, de was worden gedaan. In een tobbe, op een wasbord – wat toen nog geen muziekinstrument was. Ook direct tegen het huis bevond zich de zinkput, een stukje open riool, alleen voor keukenvuil. De groene bak zeg maar. Werd nooit geleegd bij mijn weten, maar raakte ook nooit vol. De stank viel wel mee. Alleen 's zomers. Er waren er twee, een van de bovenburen (die stonk verschrikkelijk) en een van ons. Naast de tegels, in het magere grind, stond de asemmer: een oude aker met twee handvatten en een wonderlijk groot emaille deksel.

's Zomers was er, bij mooi weer, van vier tot half vijf op het tegelpad een driehoekig stukje zon, waarin ik mijn moeder zie zitten, de blote, rode wasarmen over elkaar, de ogen even dicht. Ze is gezeten naast het witstenen schuurtje waaraan een paar geraniums hangen en dat op foto's, die telkens maar weer dit zonnige plekje vereeuwigen wilden, zo'n mediterrane uitstraling heeft: de wereld zoals hij eigenlijk zou moeten zijn. Dit schuurtje heeft mijn vader laten bouwen bij de eerste de beste gelegenheid die zich voordeed, in het oorlogsjaar 1940, waarschijnlijk tegelijk de laatste kans. Nog altijd hoef ik maar nieuwe stenen gestapeld te zien of kozijnen in de oranje menie gezet, of mij bevliegt een gevoel van voorspoed. Niemand op het rijtje had zo'n heldere, hygiënische schuur.

Aan het eind van het tegelpad was de deur naar de brandgang. Die brandgang was belangrijk. (Ik heb op mijn reizen over de wereld kunnen vaststellen dat niet elk benedenhuis in de stad aan een brandgang ligt. Zelfs in Amsterdam schijnt het begrip tamelijk onbekend te zijn. Het is een gang tussen de huizen door, die de brandweer de mogelijkheid biedt de percelen ook aan de achterzijde te benaderen en de volle laag te geven.) Onze brandgang was aan beide zijden begrensd door schuttingen en in de loop der jaren volgegroeid met riet, wilgen en zelfs een jonge perenboom. We waren er altijd te vinden. In de brandgang werd beraadslaagd en besloten: met wie wij gingen vechten, wie de verraders waren, welke meisjes wij gingen oppakken. Dat werd uitsluitend door ons bepaald, er kwamen geen grote mensen aan te pas. Ik kan me ook niet herinneren mijn ouders ooit in die brandgang zelfs maar gezien te hebben – behalve de eerste keer. Dat was toen zij, op zoek naar een nieuw huis, door een horizontale kier van de schutting keken, om te zien wat hun eventueel te wachten stond.

'Het is maar een somber huis' zei mijn moeder.

Mijn vader nam, een beetje door de knieën gezakt, opnieuw zijn positie in (alsof hij door een verrekijker naar zijn toekomst tuurde) en zei: 'Maar we doen het wel.'

Die kier is daar altijd gebleven en nadien, toen wij onze plannen beraamden, gedachteloos door onze messen vergroot. Soms sneed ik van die planken nieuwe pijlen af. Alsof mijn mes een beitel was, zo spontaan sprongen de spanen los. Ik had de grootste boog, de grootste van allemaal en ik had pijlen nodig van bijna een meter. Je kunt daarvan zelf danig onder de indruk zijn, zonder te beseffen dat het nogal dom is zo'n grote boog te hebben en hem niet even in te korten, want het was maar een gewone vliertak, door een touw in een bocht getrokken. Dat praktische inzicht had ik nog niet, ik had nu eenmaal zeer lange pijlen nodig. Ik spleet ze van de schuttingplanken en verzwaarde elke punt met wat ringen van een binnenband geknipt.

Met dat mes, een gewoon aardappelschilmesje, was ik ook actief bij de buren en de buren verderop. Onder anderen bij een gepensioneerd machinist die 's zaterdags wel 's een kip slachtte. Nu kon ik, door een kier loerend, zien hoe hij dat deed: door hem aan de kop in het rond te draaien en te roepen 'daar ga je dame'.

De brandgang was vanaf de hoek gerekend precies vijftig stappen lang en misschien ook wel vijftig meter, zodat we 's op een zondag met een oud horloge hebben gemeten hoe snel we de honderd meter konden lopen. Heen en terug in zestien seconden, mijn broertje had drie seconden minder nodig. 'Min het keerpunt,' zei hij, 'voor het keerpunt mag je wel twee seconden aftrekken.' 'Dat weet ik niet,' zei ik vals, 'dat doe je bij zwemmen toch ook niet?'

Toen ik oog kreeg voor de flora ontdekte ik, in die brandgang, onder tegen de schutting aan, het zeldzame Heksenkruid en het nog zeldzamere Behaarde Beukkruid. Een onaanzienlijk reepje grond, die brandgang, maar wat een rijkdom aan vegetatie! Ook in ons troosteloze tuintje trof ik ze aan. Hoe beroerder de grond, hoe beter de planten. 'Als je de boel maar nooit meer omspit,' riep ik naar binnen.

Ik was even gegrepen door de plantkunde, en kwam nog in opspraak om heel andere redenen. Ik zou 's nachts bij de buren door de tuintjes sluipen. Nou, ik kon bewijzen dat ik 's nachts niet bij de buren door de tuintjes sloop, want dan lag ik in bed. En mijn manie heeft maar kort geduurd. Er waren geen zeldzame planten meer. Maar de klachten bleven aanhouden. Ook mijn moeder was er niet zeker van dat er 's nachts niet soms iemand rondscharrelde. Ze hoorde wel 's wat. Maar ik lag in bed.

Heel vervelend, vond ze, ook al omdat een flink deel van de schutting intussen omgevallen en gesloopt was. En van de zwervers en dronkaards op straat was je ook niet zeker waar die 's nachts verbleven. En een halfjaar later opnieuw: smeerboel rond de asemmer.

Toen ik allang in Amsterdam woonde, las ik in de krant van het schandaal aan de Korreweg. Twee oudere dames hielden jarenlang een debiele broer gevangen. Ja, die twee dames kende ik. 'Soepjurken' droegen ze. We vonden ze toen al uit de mode. Maar kijk 's aan, een debiele broer dus die 's nachts, door honger gedreven, in de asemmers van de buren neusde. Tenslotte werd hij aangetroffen in een kolenhok met 'vingernagels van vijf centimeter lang'.

Ja zeker, kende ik ze. En ik ontleende er triomf aan, want het is wel iets bijzonders als je zulke mensen kent. Ze hadden voor het raam het gordijn een stukje opgeschoven, zodat er een Asef-kalender kon hangen. Die verkochten ze. Je verzint het niet. Twee wereldvreemde zusters, van wie de een fietste en de ander niet, die liep. Ze zijn in hun soepkraagje gepakt en hebben nog een tijd lang gevangengezeten. Er woont nu een gewoon jong gezin.

Voor zwervers hoeft men ook niet bang meer te zijn. De brandgang is afgesloten door een deur met veel krullend prikkeldraad. Alleen met een sleutel heeft men, als bewoner, nog toegang.

Het schrijfbureau

In de achterkamer stond het schrijfbureau, in een donkere hoek, zonder verlichting. Het werd dan ook niet als schrijfbureau gebruikt maar als stapelplaats voor boeken.

Het was gemaakt door mijn grootvader, die geen timmerman van beroep was, maar als schipper een vak geleerd had voor de stille winterdagen, wanneer ijs het varen onmogelijk maakte. Vervolgens is hij boer geworden, en na zijn vijftigste is hij gaan rentenieren. Mijn moeder bracht in haar huwelijk 'enig geld' mee, waarvoor mijn vader een huis in Groningen kocht, aan de Helperwestsingel, dat hij na de oorlog zonder enige noodzaak veel te goedkoop van de hand deed. Het geld leende hij aan een gereformeerde neef van hem tegen een te lage rente waar hij bovendien elk jaar per brief om vragen moest.

Het bureau was van donker eikenhout. Het was degelijk in elkaar gezet, met veel zwaluwstaarten. Het had acht laden, die liepen als op lagers. In de onderste la vond ik op een dag dat ik er nog veel te jong voor was, een vijftal bouwplaten van voornamelijk Fokkervliegtuigen, die ik vervolgens allemaal langs de stippellijntjes uitknipte en daarmee vernield had. Er konden geen vliegtuigen meer van gebouwd worden. Ik wist blijkbaar niet wat een bouwplaat behelsde, en mijn ouders evenmin.

In de la daarboven lagen de fotobenodigdheden van mijn moeder, lege flesjes en een flinke hoeveelheid houten spoeltjes (die mij nu, achteraf, op het idee brengen dat ze veel meer foto's moet hebben gemaakt dan ik van haar heb gezien). Die spoeltjes hadden ijzeren wieltjes, waardoor ik aan treinen dacht en een tijd lang spoorrails maakte van ijzerdraad om die wieltjes erop te laten lopen. Maar niet alleen aan tafel, aan de maaltijd, ook in de techniek kun je een te groot oog hebben: er kwam niet veel van terecht. Wat mijn ogen zagen, konden mijn handen bij lange na niet maken en daar bleef het bij.

Er was een la met een boek van het huwelijk van Juliana met Bernhard en het volkslied van Lippe-Biesterfeld, een doos met uit kranten geknipte foto's van het Koninklijk Huis, enkele oranjesouvenirs. Allemaal van mijn moeder, weggestopt om discussies over de waarde van het koningshuis te vermijden.

De bovenste la bevatte de financiële administratie van het gezin, waarvan het giroboekje, na gebruik, voor mij het interessantste was: de spiraal, maar ook de van 1 tot 100 genummerde bijna altijd lege bladzijden, waar ik van alles op schrijven kon.

Wat er aan de rechterzijde allemaal in de laden zat weet ik niet meer. Gereedschap, dozen, rommel. Eén la zat vol met ansichtkaarten. Gezegend Kerstfeest, Gelukkig Nieuwjaar met inderdaad gelukkig makende sneeuwlandschappen, lage oranje zon, hoefijzers en hulsttakken, en verder een verscheidenheid aan verjaarskaarten, vakantiekaarten, stads- en zeegezichten, die we van tijd tot tijd tevoorschijn haalden, mijn broertjes en ik, en waar we mee speelden als met echte speelkaarten, maar met meer fantasie. Sommige van die kaarten waren erg oud, gingen mee sinds onze heugenis, waren van een diepe, schier historische betekenis.

De ansichtkaarten bleven gespaard, de rest van de post werd na lezing meteen verscheurd en weggedaan. Brieven, annonces, leuke dingen die een normaal mens bewaart, waren door mijn vader nog voor de dag om was al in de prullenmand gegooid. Zo had ik graag nog 's een schrift van mezelf gezien, of een dictee, of een brief, of een schoolrapport, of een schrijfoefening, want ik schijn erg mooi geschreven te hebben, vroeger. Maar de bewijzen ervan zijn hardhandig vernietigd. Ook is er geen enkele tekening van ons bewaard gebleven of een ander ding dat vertedering kan opwekken bij de betrokkenen. Zelfs mijn eerste prijs (ik had 's een eerste prijs gewonnen met het tekenen van een omslag voor een sportblad, waarmee ik een paar sportschoenen won, en dat blad is toch zeker tien keer uitgekomen), al die nummers, met die omslagen, zijn bewaard maar op een dag door mijn vader in zijn behoefte aan 'leeg', 'schoon' en 'zo weinig mogelijk' weggemieterd met dezelfde voortvarendheid als waarmee hij ooit zijn huis, 'dat verrekte huis', van de hand deed.

Het schrijfbureau heeft nooit gediend als een bureau waaraan men schrijft. Daarvoor lag het te vol met boeken en dat mijn vader niet al die boeken óók opruimde of op zijn minst wegzette in een kast, kwam denk ik door zijn kwade geweten: geen van die boeken had hij gelezen. Mijn vader had, als leraar Nederlands op de mulo, een hartstocht voor grammatica en woordsoorten, ontleding en naamvallen. Ik deelde die hartstocht, zo jong als ik was. De vraag bijvoorbeeld waar de kinderen vandaan kwamen interesseerde mij minder dan de oorsprong van het woord 'geboren'. Welk werkwoord hoorde daar bij? Ik vroeg het hem en hij zei dat het van 'baren' kwam. Met dat antwoord was ik tevreden. Wat baren was, hoe dat in zijn werk ging, kon ik wel vermoeden, maar daar ging het mij niet om. Het ging mij om het woord en dat is altijd zo gebleven. Wat niet beschreven is, doet niet mee, in mijn ogen. Daarin zouden wij sterk gaan verschillen. Hij, leraar Nederlands, had geen gevoel voor boeken en zeker niet voor romans. Maar gevoel of niet, gelezen of niet – voor de klas had hij altijd zijn praatje klaar. Hij had twee sonnetten van Kloos uit het hoofd geleerd, hij wist een en ander van Vondel en daarmee kon hij uit de voeten. Aan zijn vermogen de leerlingen te boeien twijfelde hij niet en heeft hij nooit hoeven twijfelen.

Ongelukkigerwijs kreeg hij regelmatig bloemlezingen toegestuurd, 'leesboeken ten dienste van het literatuuronderwijs in de hogere klassen'. Nederlandse literatuur, nieuw, pas uit en soms nog niet eens opengemaakt. 'Presentexemplaren', gratis toegestuurd. Ik verkeerde aanvankelijk nog in het sportieve stadium, ik wilde een beroemd voetballer worden, maar toen ik in de krant las dat 'de zestienjarige Rikkert Lacroix' in het eerste elftal van GVAV was opgesteld, dacht ik, die haal ik niet meer in. Ik zag om naar een andere hobby. Ik heb nog een winter lang gefotografeerd en toen boorde ik een goudmijn aan: die boeken op het schrijfbureau, in de donkere hoek van de achterkamer.

Als ik achteraf analyseer wat ik toen allemaal te lezen vond, en hoe ik las, en wie, valt er een duidelijke chronologie te bespeuren. Ik was op het niveau van *Ferdinand Huyck*, dát vond ik nou een mooi boek. Dus het eerste gedicht dat mij ontroerde was niet Van Ostaijens 'Melopee', maar 'Het haantje van de toren' van De Genestet. Twaalf bladzijden maar liefst, integraal afgedrukt in een bloemlezing 'voor de eerste klassen van de middelbare school'. Ik las het, en ik las het ettelijke keren. Ik had nooit veel opgehad met gedichten, maar dit vond ik nou een mooi gedicht. En bijna alles wat ik vervolgens van De Genestet onder ogen kreeg vond ik mooi.

Zo maakte ik, daar in de achterkamer, kennis met de toppen van de Nederlandse literatuur. De beroemde stukken van Van Deyssel, de ouverture van *Mei*, gedichten van Herman van den Bergh, van Marsman, verhalen van Bordewijk, stukken van Elsschot...

Doordat ik van lieverlede alle boeken mee naar boven had genomen, naar mijn kamer, begon het bureau zodanig opgeruimd te lijken, dat mijn vader op het idee kwam het als schrijftafel te gebruiken. Daarvoor was meer licht nodig, dat was duidelijk. Maar in plaats dat hij, die zo makkelijk kocht, en verkocht, royaal een solide bureaulamp aanschafte, zag ik hem op een zaterdagmiddag, geassisteerd door mijn moeder, in de weer met een wandlampje van het soort dat men vroeger naast het bed had hangen. Zo een met een plooikapje. Vijfentwintig watt. Dat kwam aan het behang, op de plaats waar hij een lat kon voelen. Daar spijkerde hij het aan het hout. Het witte snoertje hing vrij naar beneden. Dat heeft hij later nog 's vastgezet. Een grote zwarte vlek op het behang herinnerde nog lange tijd aan de explosie die zich daarbij heeft voorgedaan.

Kerkgang

Wonderlijk, te zien hoe op de zevende dag van de week de bloem openging, elke keer weer. Wat door de week een grauwe eenheid leek van werkers, fietsers, scholieren en winkelende huisvrouwen, spreidde zich op zondag uit tot vier kroonbladen: de hervormden liepen naar het oosten, de gereformeerden naar het noorden, de vrijgemaakten naar het westen en de roomsen naar het zuiden. Elke zondagmorgen dezelfde verstrooide parade.

Vier geloofsrichtingen, vier stijlen van kerkgang. De hervormden liepen meestal alleen, hetzij man, hetzij vrouw. De gereformeerden togen gezamenlijk ter kerke: groepen jongens, groepen meisjes en als ze iets ouder waren (afhankelijk daarvan of de knapenvereniging en de meisjesvereniging al hun gezamenlijke initiatieavond hadden gehad) groepen van jongens en meisjes samen. Het was duidelijk dat voor de gereformeerde jongeren de kerk een ontmoetingsplaats was waar menig huwelijk zijn oorsprong had. Eenmaal een stel, trok het verloofde paar gearmd ter kerke; niet alleen de armen, maar ook de vingers in elkaar verstrengeld, voorwaarts in gelijke voorspoedige pas en de vrouw enigszins naar hem toegewend, hem reeds toegewijd als het ware. De rechterschouder naar voren. Fysiek getordeerd; van onderen liepen ze evenwijdig.

De vrijgemaakten kwamen doorgaans in gezinsverband langs. Grote gezinnen. Alsof men ging emigreren, elke zondag. Twee keer.

Van de roomsen kreeg ik geen hoogte. Dat scheen ook door de week wel naar de kerk te gaan, zodat ze 's zondags misschien mochten thuisblijven. Soms was er feest, liepen kleine meisjes in witte jurkjes. Witte hoedjes, witte tasjes. Geen idee.

En dan had je natuurlijk degenen die niet naar de kerk gingen, de zogenaamde openbaren, of de niksen. Die zag je pas na het middaguur op straat komen, al of niet opgaand in de stoet van voetballiefhebbers die met de Blauwe Engel uit de provincie waren aangevoerd en rond twee uur voor ons huis schuin overstaken, richting Oosterpark. Boerenarbeiders, roodglimmende konen, wijde blauwe pakken, stropdas voor, harde stemmen.

De scheiding der kerkelijke gezindten vond plaats rond het

twaalfde jaar – ook al had men dan nog geen benul van wat het was dat de mensen scheidde. Zoals een klein meisje in het zwembad bijtijds haar bovenstukje draagt en niet weet waarom, zo droegen wij op tijd ons geloof uit, zonder te begrijpen wat we zeiden. Door hun frequentere kerkgang voelden de gereformeerden zich superieur aan de hervormden – die van de weeromstuit de gereformeerden farizeeërs noemden en een geliefd grapje was, dat mocht de hervormde hemel dan een zwijnenstal zijn en de gereformeerde hemel keurig en aan kant, de hervormde hemel tenminste vol mensen zat; de gereformeerde hemel, daar was geen mens te bekennen, die was leeg. O zo.

Zelf hervormd, meende ik 's de kerken in één klap te hebben samengevoegd door op te merken dat beide woorden, hervormd en gereformeerd, precies hetzelfde betekenden. Een ontdekking! Maar wat de mensen uit elkaar heeft gezet en onderscheiden heeft naar rang en stand, hef je niet zomaar weer op. Dat moet je niet denken. En dat Van Zuilingen en Waterman gereformeerd waren hield in dat ik ze steeds minder zag en dat ik er goed aan deed naar een hervormd vriendje om te kijken.

Onder de hervormden broeide het. Wat ik ervan afwist had ik van horen zeggen: dat mijn vader 'een man van de doorbraak' was. Tijdens discussies met bevriende collega's in de voorkamer, die natuurlijk niet voor mij bestemd waren, ving ik genoeg op om voor mijn vader een vreemd, nieuw respect te koesteren. Hij was de man van de doorbraak. De anderen zag ik een beetje ongemakkelijk glimlachen. Die 'waren nog niet zover'. Die durfden het niet aan, blijkbaar. Mijn vader wel.

Voor mij hield die durf in dat we vanaf een zekere dag openlijk en zichtbaar voor iedereen *Het Vrije Volk* bezorgd kregen en daardoor allengs 'rooien' werden genoemd. We waren rood. Maar dat stond de zondagse kerkgang in het geheel niet in de weg. Integendeel. Als men 'een man van de doorbraak' was, was men zowel het ene als het andere. 'Christen én Socialist'.

Deze rebellie moet zijn schaduwen vooruit hebben geworpen. Anders kan ik niet verklaren waarom ik al op mijn tiende een keer weigerde naar de kerk te gaan. Deze weigering had geen ideële achtergrond, maar een uiterst banale. Ik had geen zin. Voor mijn vader me bij de arm kon grijpen, vluchtte ik het huis uit. Ik belde aan bij Henny (het buurmeisje waarmee ik dacht verkering te hebben), verschanste me in haar huis als in een bevriende ambassade, maar het asiel duurde niet lang. Toen de bel ging en mijn vader bovenkwam, geneerde ik mij er niet voor het op een janken te zetten en zo voor het oog van mijn geliefde te worden meegenomen.

Er is uiteraard niets heldhaftigs, maar ook niets roerends aan dit verhaal. Ik vertel het alleen om het feit dat 'ik het in mijn hoofd haalde' niet naar de kerk te willen en daar heisa over te maken. Dat zou honderd jaar, of misschien wel tien jaar eerder ondenkbaar zijn geweest. Het zou een zonde tegen de Kerk, ja tegen God Zelf zijn geweest. Voor het aangezicht Gods zou ik met blindheid geslagen zijn. Maar daarvan was in het geheel geen sprake. Op een of andere wijze was in ons gezin het gezag van de kerk al aardig ondermijnd, en voelde ik dat.

Ik haalde het in mijn hoofd – zonder de tekenen te zien. Mijn moeder las ons regelmatig voor uit de kinderbijbel, op school kende ik alle verhalen al. Mijn vader las dagelijks aan het eind van de maaltijd een hoofdstuk uit de grote bijbel. Maar verder kwam het geloof niet ter sprake, niet dan met de grootste pudeur. De naam van God en ook die van Jezus Christus kwam ons nimmer over de lippen. Het Woord, het Levende Woord, bestond alleen op papier, voorgelezen. Bidden aan het begin van de maaltijd werd beginnen genoemd. 'Kom jongens, even beginnen, dan kunnen we beginnen.'

Toch waren we wat je noemt kerkelijk actief. Lichte actie. Er werd op gepaste tijden met de collectebus gelopen. Mijn vader leidde jarenlang een bijbelclubje voor blinden. Mijn ouders waren trouwe, zij 't hervormde, kerkgangers, al zou je kunnen zeggen dat mijn vader meer een domineeganger was. Daarin bestond zijn kritiek en zijn zelfstandigheid. Zoals je uit het aanbod 's avonds de mooiste film kiest, zo koos hij elke zondagmorgen de naar zijn oordeel beste dominee uit. Was hem de preek bevallen, dan heette zo'n dominee 'een knaap'. Ik nam die gewoonte van hem over, zodat we wel 's, onafhankelijk van elkaar, in dezelfde kerk zaten en dezelfde knaap beluisterden. Ik zag hem dan ook wel 's slapen.

Mijn ouders zijn, als veel van hun leeftijdgenoten, verhuisd naar Haren. Ik weet niet of ze daar nog regelmatig naar de kerk gingen. Een enkele keer, denk ik. En dat heette dan vrijelijk 'de honneurs waarnemen'.

De liefde

We zaten op het schuurtje van Waterman, om van hem te horen wat het allemaal betekende. Hij was ernstig en wilde wachten op Van Zuilingen, maar ik zei dat die niet kwam omdat hij naar pianoles was.

Ik had de hele ochtend met hem in de tuin gespeeld, onder een tentdoek dat schuin van het ijzeren hek liep en was vastgepind in het grind – toen we ongewoon rumoer hoorden, geschreeuw en gelach. Midden op het kruispunt met de Riouwstraat stonden mensen of liever, ze liepen als een zwerm heen en weer. Hun opgewonden aandacht gold een paar honden waar iets mee was. Ze zaten met hun achtersten aan elkaar vast, ik dacht voor de grap. Dat iemand ze aan elkaar gebonden had, maar ik zag geen touw.

Een grote bruine hond en een witte, iets kleiner. Als de bruine hond wegliep, trok hij de witte achterstevoren met zich mee. Maar ook de witte was een sterke hond die aldoor zijdelings weg wilde komen en daarmee trok hij telkens de bruine omver. De mensen lachten, alsof ze dit vaker hadden gezien en ik vroeg Van Zuilingen wat er aan de hand was.

'Wee'k niet' zei hij kortaf.

Ik dacht aan stierengevechten – omdat zowat iedereen ze stond aan te moedigen en liep te schreeuwen. Toen kwam er opeens een vrouw naar voren, met een emmer water die ze leeg smeet in de richting van de honden, maar ze raakte ze niet. Een tweede emmer vol water trof het doel beter, al begreep ik niet wat ermee beoogd werd. Een man stapte naar voren, greep de bruine hond bij zijn voorpoten, bij de schouders en riep vloekend dat nu iemand anders de witte voor zijn rekening moest nemen. Zodat er op een bepaald moment twee mannen zich tegen de straatstenen schrap zetten alsof ze aan het touwtrekken waren. Het was duidelijk dat de honden van elkaar moesten. Ze lagen horizontaal in de lucht, maar het lukte de mannen niet.

De honden, eenmaal weer op de grond, zetten het op een lopen, dat wil zeggen, de witte achterstevoren, de mensen stoven gillend uit elkaar en joegen ze achterna; wij ook, we holden mee, gek van opwinding. De hele menigte, nu wel zo'n honderd mensen, had zich verplaatst naar het kleine Bernoulliplein, iedereen liep op het gras, want daar waren de honden, die trokken elkaar in paniek de kale rozenstruikjes in en uit. 'Ik moet naar pianoles verdomme' beet Van Zuilingen mij toe. De honden waren zijdelings de Eyssoniusstraat in gestruikeld, wij mee, en weer terug. Door de onvoorspelbare bewegingen van het tweetal verplaatste het toneel zich opeens naar het grote Bernoulliplein en toen gebeurde het, ik stond er toevallig vlakbij, het gebeurde voor mijn voeten: de witte hond wist onder een stuk prikkeldraad door te komen, de bruine was daar misschien te groot voor en toen gleden ze gewoon uit elkaar. Zoals wanneer je een tuinslang van de kraan trekt: uit de bruine hond spoot flink wat water. Ik zag nu ook hoe ze in elkaar hadden gezeten, de witte was het mannetje en het eerste wat hij deed toen hij vrij was, was tegen een boom zijn achterpoot lichten. Al snuffelend over de tegels verdween hij in de richting van de Zeevaartschool, de andere galoppeerde terug naar het Noorderplantsoen – alsof er niets gebeurd was. De mensen verspreidden zich, over wat ze hadden gezien nog lang napratend.

Ook wij namen de zaak door, Waterman en ik, en Pastoor. Van Zuilingen was afwezig. 'Ja jongens,' zei Waterman, 'dit risico lopen we allemaal. Je zal lekker met een vrouw in bed liggen en ze krijgt kramp. De vraag is wat doe je dan.'

Ik had een vermoeden waar hij op doelde, maar hield mij stil.

'Een gewetensvraag,' zei Waterman, 'je loopt langs de weg en je ziet in de bosjes opeens een man en een vrouw liggen. De vrouw heeft kramp en de man kan niet meer van haar loskomen. Pastoor. Wat zou jij doen in dat geval?'

'Een emmer water' zei Pastoor.

'Je hebt geen emmer. Krol.'

'Wachten tot het overging.'

'Het gaat niet over. Nee, er is maar één oplossing. Je moet hem zijn piemel afsnijden. Daar spaar je de vrouw mee. Dan gaat hij misschien dood, maar als je niets doet, gaan ze allebei dood.'

'Je hebt geen mes' zei ik, om grappig te zijn.

'Elke man heeft een mes op zak.'

Dat was waar ook. Maar de vraag was of ik dat wel zou durven. Want als die man het er niet mee eens was, wat dan? Het probleem werd niet opgelost en was na een paar dagen ook weer vergeten, al stak het soms nog wel 's de kop op.

De kerstdagen vierden we samen met de familie Dantuma, bij ons thuis. Dan hoefden zij geen licht te branden en wij kregen een stuk van hun pudding, die namen ze mee. Mijn vader vertelde een kerstverhaal en ik zat met Henny op de kop van de divan, in het donker. Wij leunden tegen elkaar aan, wat mij een warm, heerlijk gevoel gaf. Zij lag met haar hoofd tegen mijn schouder. Wij gingen met elkaar en zouden trouwen. Dat vooruitzicht lachte mij toe, al besefte ik wat voor verschrikkingen we tegemoet zouden gaan. Als zij kramp kreeg... Maar dat denkbeeld zette ik van me af. Ik had Henny tegen me aan en hield me muisstil, want misschien dacht ze wel dat ze tegen de kast leunde en zou ze, als ik ook maar eventjes bewoog, zich doodschrikken. Al die tijd vertelde mijn vader het verhaal en zaten wij in het bijna-donker tegen elkaar aan zonder dat iemand het zag.

Henny was een mager, wat puisterig meisje dat veel last van astma had. Ik hield van haar maar ik was daar wat stiekem in. Er gebeurde voornamelijk niets. Toch wist iedereen dat wij met elkaar gingen. Op een middag, toen we met z'n allen op de schuilkelder speelden, riep Henny opeens: 'Iedereen denkt dat Gerrit en ik met elkaar gaan, maar dat denken ze omdat onze moeders met elkaar omgaan. Wij zelf gaan niet met elkaar om.'

Deze luide verloochening vond plaats waar ik bij was: iedereen keek mij aan.

'Nou Krol,' riep Van Zuilingen, 'wat is daarop je antwoord?', maar het was alsof ik verlamd was. Ik kon geen woord uitbrengen.

De sjaal

Wie zich in het dagelijkse leven laat verleiden tot een leugentje moet, zoals bekend, een goed geheugen hebben. Het ene leugentje neemt meestal het andere mee, om samen op de waarheid te lijken. Liegen is een kunst, die je pas in de loop der jaren beheerst. Kinderen beheersen die kunst in het geheel niet. Voortdurend gedwongen tegenover hun ouders hun gedrag te rechtvaardigen laten ze zich telkens weer verleiden tot korte-termijnleugens die doorzichtig zijn als glas en die kinderen, bij alle liefde en vertedering die ze oproepen, tot zulke treurige schepsels maken.

Ik heb tenminste alle keren dat ik door de mand viel tot op vandaag onthouden. Ik ben slecht in leugens en dus ook niet erg bedreven in de kunst mijn medemens te overtuigen. Geloofwaardigheid immers is een kunstig mengsel van waarheid en verdichtsel. Je moet de mensen nooit de waarheid vertellen en ook niet dicteren wat ze moeten geloven – nee, je moet ze vertellen wat ze graag wíllen geloven. Dat is de grote kunst en als ik mijn leven opnieuw mocht leven, zou ik mij daarin wat meer bekwamen. Ik ben doorgaans veel te eerlijk, uit angst op een onwaarheid te worden betrapt. Maar wat ik daardoor wel heb is: enig talent voor consequentie. Als ik door genoemde angst al niet betrouwbaar ben, consequent ben ik wel – ook in het negatieve en dat is mijn kracht, omdat niemand dat van mij verwacht. Ik heb wat dat betreft een feilloos geheugen. De volgende geschiedenis moge dat bewijzen. Ik denk er met enige trots aan terug.

Ik was aan het spelen bij Pastoor, aan de overkant. Of – spelen is misschien al niet meer het juiste woord. Het was vlak na de oorlog, dus ik was minstens elf, misschien wel twaalf. Het spelen bestond uit het werken aan de typemachine. We typten een krant, Pastoor en ik. We kopieerden met carbonpapier de strips van Kappie, en de tekeningen van Rein Stuurman uit het vogelboekje van Thijsse. Elke week verscheen er een editie die we huis aan huis verspreidden. De oplage was vijf stuks en met het verspreiden waren we dus gauw klaar. Niet met de krant zelf, dat was een heel werk. Ik kwam in die hectische tijd dus bijna dagelijks bij Pastoor over de vloer. Tot op een zondagmiddag de moeder van Pastoor, mevrouw Pastoor, in de deuropening kwam staan terwijl ze een sjaal omhooghield en zei: ‘Gerrit, is dit misschien jouw sjaal?’

Rood met zwart. Het was mijn sjaal. Zonder enige twijfel.

Ik heb daarom heel lang niet geweten wat mij dwong te zeggen dat het niet mijn sjaal was. Misschien wilde ik niet slordig lijken, dat ik ergens zomaar een sjaal had laten hangen zonder ernaar te vragen, want ik was hem al een week kwijt. Misschien was het in haar ogen wel een goedkope sjaal. In elk geval was-ie niet van mij en ze hing hem weer terug waar hij gehangen had.

Een paar dagen daarna zat ik er weer, want de krant moest af. En weer kwam Pastoors moeder met mijn sjaal aanzetten.

'Hij is toch echt niet van jou, Gerrit?'

Ik schudde beslist mijn hoofd. 'Nee, die is niet van mij mevrouw' zei ik, want ik wilde niet op mijn woord terugkomen.

'Maar hij moet toch van íémand wezen' hield mevrouw Pastoor vol en ze trok zelfs even de verzekering van haar eigen zoon in twijfel: 'Misschien, Robbie, heb jij 'm per ongeluk van school meegenomen.' Pastoor zei van niets te weten. Hij wist absoluut zeker dat hij niet andermans sjaal had meegenomen.

'Dan wil ik toch' zei zijn moeder, 'dat je er even mee langs de deuren gaat, hij komt hier niet zomaar. Hij moet van iemand wezen.'

Zo gingen Pastoor en ik die dinsdagavond 'langs de deuren' met mijn sjaal. Langs Van Zuilingen die liet weten dat zijn smaak hem niet toestond ook maar te overwegen ooit zo'n sjaal te willen dragen. Tegen de scherpgebekte Van Zuilingen legde ik het altijd af, hij zat ook een klas hoger – maar zijn sjaal was het dus niet en langs Waterman die, hangend in het trapgat, ons vroeg of wij hem óóit een sjaal hadden zien dragen en langs nog wat andere vriendjes die wij kenden, de jongens van Noordhoek, Sikkema – overal hielden we mijn sjaal omhoog, maar niemand die hem miste.

De enige die hem miste was mijn moeder – die mij verweet dat ik zo slordig met mijn nieuwe spullen 'omsprong'. 'Twee keer gedragen en nu al kwijt.' Zodat ik haar toezegde op school aan mijn vriendjes te vragen waar mijn sjaal gebleven kon zijn.

Ik begreep, zoals elke misdadiger zal begrijpen die tegen beter weten in heeft ontkend – dat er absoluut geen weg meer terug was voor mij en inderdaad, mijn hardnekkigheid bracht de mensen tenslotte tot zwijgen.

Een incident was het, meer niet. Van zo weinig gewicht, dat het moeilijk is je voor te stellen dat het invloed zou hebben op enige gang van zaken. En toch kwam hiermee de samenwerking tussen Pastoor en mij tot een einde.

Een paar jaar later kwam Pastoor bij mij aan de deur. Hij lachte en droeg open en bloot mijn sjaal. Maar daar kwam hij niet voor. Hij had twee boeken bij zich, die kwam hij terugbrengen. Ik liet hem binnen, nam hem mee naar mijn kamer en we praatten over de tijd dat we zo geïnspireerd onze krant uitgaven en dat aan alles een eind komt, blijkbaar. En die boeken, zei ik, mocht hij houden, aangezien ik niet meer van de natuur hield, ik gaf nu om andere zaken. Heus? Heus. Hij was me dankbaar, niet ten onrechte, want het waren mooie, waardevolle boeken die ik misschien ook wel graag had gehouden, maar ik vind dat boeken daar horen waar ze het meest worden gebruikt en gewaardeerd.

Toen hij eenmaal vertrokken was, zag ik zijn sjaal aan de stoelknop hangen – mijn sjaal. Ik begreep dat het opnieuw mijn sjaal was geworden. Ik meende ook dat mijn moeder nog elke dag aan mijn sjaal dacht, dus wat mij te doen stond, was hem onmiddellijk verdonkeremanen. Ik bond hem met een touw om een van mijn kuiten, mijn plusfour zorgde ervoor dat er, bij het verlaten van het huis, niets van was te zien (zo deed ik dat altijd met zaken die ik het huis in en uit smokkelde) en fietste in de richting van Grijpskerk, waar ik het kledingstuk met een steen verzwaard in het Aduarderdiep afzonk.

Pastoor kwam ik nog een keer tegen, vreemd genoeg niet ver van het Aduarderdiep. Ik was, op de fiets, op weg naar Leeuwarden. Hij kwam, op de fiets, daar net vandaan. We stopten, kregen het nog 's over vroeger (zo oud waren we al), over de krant, we draaiden hetzelfde deuntje weer af. Overigens, dat die sjaal van mij was, wist hij meteen al, maar hij had mij niet willen afvallen, al had hij me nooit begrepen. Nee, dat snapte ik en dat kon ik waarderen. Maar ik zei, dat als zijn moeder die sjaal niet zo hoog had gehouden, niet zo tussen duim en vinger, maar gewoon – de kans dat ik hem had 'herkend' veel groter was geweest.

Verkeerde vrienden

Van Zuilingen liep met Wies, Waterman liep met Lies en ik ging met Alida. Ik had Alida nog nooit gezien, ik was zou je kunnen zeggen aan haar uitgehuwelijkt, of zij aan mij. Van Zuilingen was verantwoordelijk voor de keus en hij wist mij te vertellen dat Alida 'een knappe vrouw' was – echt iets voor mij, want Krol met een lelijke vrouw, zei hij, dat kon hij zich niet voorstellen.

Dat was goed aangevoeld, het was mijn idee ook. Ik had door mijn grijze persoonlijkheid naast me een ster nodig en al liep ik niet met deze Alida, ik ging dan toch alvast met haar; er is in de liefde een subtiel verschil tussen lopen en gaan. En dat ze gereformeerd was, daar was ik ook niet bang voor. Ik had een paar toepasselijke bijbelteksten uit het hoofd geleerd om te laten zien dat hervormden niet minder zijn. Ik was met de gang van zaken aardig in m'n schik. Ik had een meisje, net als iedereen; ze zou bij het uitgaan van de catechisatie gezegd hebben 'wie aan Gerrit Krol komt, komt aan mij' en ik moet door mijn argwaan heen hebben geglunderd als een eikel. Ik was ontzettend benieuwd naar haar.

'We begrijpen je ongeduld,' zei Van Zuilingen, 'maar laten we wachten op het goede moment.'

Ik kon begrijpen, op mijn beurt, wat hij daarmee bedoelde, maar voorlopig gebeurde er niets. Wel herinner ik me een nerveus gevlieg op de fiets. De ene keer moest ik plotseling om zeven uur bij de Oosterkerk zijn, hún Oosterkerk, de gereformeerde, en haar opwachten bij het uitgaan van de catechisatie en een andere keer, op een dinsdag, zou ik haar opwachten bij de paardenslager, daar moest ik om half zes staan. De volgende dag stond ik haar voor de tweede keer op te wachten bij de catechisatie, waar ze opnieuw niet was. Van Zuilingen verontschuldigde zich voor de gang van zaken, die hij 'betreurde'.

De grote ontmoeting vond plaats op een zaterdagmiddag toen we met z'n allen de stad ingingen, van Zuilingen, Waterman, hun meisjes (met wie ze stevig gearmd liepen, ten teken) en Alida. En ik. Zij was inderdaad mooi. Een streng, hooghartig gezicht, daar hield ik wel van, maar bij de eerste zin die ze sprak hoorde ik het al: een stem als een kraai. Afschuwelijk, wat kraste die meid. Ik dacht nog even dat ze het met opzet deed, om leuk te wezen.

De wandeling werd een mislukking. Zij kiftte op me, omdat ik niet naast haar liep, of omdat ik juist wel naast haar liep en niet moest denken dat we al zover waren. 'Ik heb geen zin' zei ze, 'om met een vogelverschrikker de stad in te gaan.' Ik keek naar Van Zuilingen, om te horen wat ik doen moest, of zeggen, maar Van Zuilingen was even Oostindisch doof.

Het bleek geloof ik dat ik de verkeerde jas aanhad. Het was inderdaad een typische jas die ik droeg. Niet een voor de zaterdagmiddag, als je de stad inging. Daar had ze gelijk in. Maar nu ze zo raar deed, kon het me ook niets schelen wat voor jas ik aanhad. Ik ging er expres sjofel bijlopen, de handen diep in de zakken en ik liep expres naast haar. Ik stelde teleur, dat was het. En ik begreep het. Van mijn uiterlijk moest ik het niet hebben. Maar daarom hoefde zij mij nog geen vogelverschrikker te noemen. 'Jij noemt mij een vogelverschrikker', zei ik, 'nou dan noem ik jou een kraai. Ze hebben het altijd over Gerrit de kraai, maar beter zou zijn Alida de kraai', zei ik en ik moest daar zelf nogal om lachen (Waterman ook trouwens).

Ze werd vreselijk kwaad en sloeg met haar tasje naar me. Ik ontweek de slagen, maar bleef met haar meelopen. Later, toen ze doorging met mij te beledigen en ik háár, zozeer dat Van Zuilingen ons vroeg daarmee op te houden, toen had ik er ook opeens schoon genoeg van. Ik stak mijn hand op en keerde terug naar huis.

Dat was Alida. En ander ding waar ze mij mee lastigvielen, was hun zondagse kaartmiddag. Bij Suringa thuis, omdat zijn ouders wandelden. Van Zuilingen, Waterman, Suringa en zijn broer Ed. Maar als Ed niet meedeed, hadden ze een man te kort en dan kwam Van Zuilingen bij mij aan de deur om te vragen of ik meedeed. Bridge. Op zondagmiddag – ik vond dat vreemd. Als je gereformeerd bent, om dan op zondagmiddag te gaan bridgen. Ik kende het spel niet, dus ik liet het me de eerste keer omstandig uitleggen, maar toen drie weken daarna Ed weer geen zin had en ik weer als invaller van de partij was, moest alles mij opnieuw worden uitgelegd. Ik vond er niets aan. Ik onthield niet wat er uit was, ik kon niet seinen. Maar beter een slechte speler hebben ze gedacht, dan helemaal geen speler. Ze roeiden met de riemen die ze hadden, twee tegen één en ik begreep niet wat voor belang ze bij mij hadden. Ik legde ter verdediging uit dat ik op een schaakclub zat en dát vond ik wél heel leuk. Dus het lag niet alleen aan mij of mijn aard.

Het was een onaangenaam gezelschap. Kinderachtige grappen. Van Van Zuilingen viel me dat tegen. Dat hij meedeed. Kinderachtig om, als iemand een kaart op tafel gooide, kuh kuh kuh te roepen zodat je bijna een vies woord zei; spreek je de t uit, dan heb je een vies woord, maar als je zegt kuh kuh kuh keurig, dan net niet. Als ik veroordeeld was, dacht ik bij mezelf, de rest van mijn leven met deze mensen om te gaan en ze mijn vrienden zou moeten noemen, hing ik me liever meteen op. De enige die mijn sympathie had was die oudere broer Ed, vooral als hij niet wilde spelen. Ook hij schaakte en nog wel een stuk beter dan ik. Ik vond dat we op elkaar leken.

Ik heb al deze mensen uit het oog verloren, ik hoefde me niet op te hangen. Onze wegen scheidden zich. Maar later heb ik gedacht, als ik nou gewoon had meegedaan, had ik het dan wél leuk gevonden? Of, nog interessanter: als ik talent voor bridge had gehad, was ik dan misschien – op mijn manier – de leukste van het stel geweest?

Lange tijd nadien hoorde ik het verhaal van Ed. Ed die, jawel, met Alida liep. Ik had ze al eens zien lopen en dacht o jee. Maar misschien was ze aardiger tegen hem dan tegen mij. Per slot van rekening was hij ouder, en hij was medisch assistent. Hij had een baan. Maar toen hoorde ik het verhaal, ik woonde al in Amsterdam. Dat ze trouwplannen hadden en dat die trouwerij niet doorgegaan was. Alida had een mooie trouwjurk uitgezocht en hij had een jacquet gehuurd, met een grijze hoed, toen in de mode, want ik heb er ook zo een gehuurd toen ik trouwde. Ed ook. Maar hij is niet getrouwd. Niet met Alida. Want op de grote dag is hij, ingestapt in de trouwtaxi met zijn bos bloemen en zijn hoed, niet naar de wachtende bruid gereden maar, ongetwijfeld tot stomme verbazing van de chauffeur, naar het station, waar hij de trein heeft genomen naar weet ik waarheen – Patagonië.

Dat is het verhaal dat ik gehoord heb. Ik heb hem bewonderd om zijn moed. Zijn moed om laf te zijn. Want zijn vlucht was natuurlijk laf.

De verboden kamer

De Kinderkerk werd gehouden elke zondag van 11.30 tot 12.15 uur in de Nieuwe Kerk. Voorganger was de heer Zonneveld, die daartoe elke zondag om 11.15 uur voor ons huis langsfietste, langzaam, grijs en vermoeid. 'Beslist niet een zonnetje in het veld', zoals mijn moeder 's opmerkte.

Er werd gebeden, gezongen en verteld, gedankt, we kregen de zegen en het was weer gebeurd. We gingen niet met tegenzin, want het was altijd beter dan de grotemensendienst, met z'n lange preken waar we niets van begrepen. Over de Duitse filosoof Fichte kende ik het verhaal dat deze als tienjarige jongen na een kerkdienst voor zijn vader, die de dienst vanwege ziekte had moeten verzuimen, de preek bijna woordelijk wist te herhalen. Zo'n verhaal vergeet men niet licht.

Wij zaten in die grote kerk met z'n twintigen in de grotemensenbanken en hoorden van de kansel wat mocht en niet mocht. Meneer Zonneveld vertelde ons, aan de hand van bijbelteksten, wat de wil was van God en zijn Zoon Jezus Christus. Daar was niks moeilijks aan. De bijbel was Gods Woord, dat wilden wij wel geloven. Woord met een hoofdletter, ook dat namen wij graag aan.

Ik zat vaak naast Freek Leutscher. Die kende ik van vroeger. Ik ging na afloop van de dienst wel 's met hem mee naar huis. Het was daar altijd een gezellige boel. Het was een groot gezin, dat woonde op een bovenverdieping in de Ebbingestraat. Zijn vader was violist, speelde in orkestjes ('zonder vaste betrekking' zoals mijn vader dat noemde) en zijn moeder was actief als naaister. De rest van het broodnodige inkomen kwam uit de verhuur van de grote kamer, die groter was dan de rest van het huis, naar het mij voorkwam. De kamer werd sinds jaren bewoond door een en dezelfde man, een geschiedenisleraar die les gaf op de Rijks-HBS en wiens wereld uit louter boeken scheen te bestaan.

De huiskamer van het gezin Leutscher lag aan de achterzijde van het huis, het was er donker en omdat de lamp niet aanging voordat de avond was gevallen, zaten alle kinderen 'hun ogen te verknoeien' met lezen zonder dat ze later ooit een bril hebben hoeven dragen. Ik denk dat ze hun ogen juist erg goed geoefend hebben.

Er werd veel gelezen en veel gepraat. Daar deed de moeder aan mee. Het was, voelde ik wel, een intelligent gezin en dat alle kinderen naar de mulo gingen, was niet omdat ze minder goed konden leren, maar omdat er voor beter en langduriger onderwijs geen geld was. Het was een artistiek gezin. Boven de kachel hing het schilderij van een zee. Dé zee, scheen het schilderij te willen zeggen, je zag alleen golven. Golven zoals die over de hele wereld dezelfde zijn. Ik vond het vreemd zo'n leeg schilderij boven de kachel te hangen en misschien vond Freeks vader het ook wel vreemd, bij nader inzien, want hij had geëxperimenteerd met een uitgeknipt zeilbootje, dat hij dan hier en dan daar op het schilderij had geplakt, maar tenslotte weer had weggehaald. Zonder schip was de zee het mooist. Zo'n schip maakte het schilderij (en toen kwam er een woord dat sindsdien een rood licht is in mijn artistieke geweten, het brandt áltijd) *anekdotisch*. Iets moet niet anekdotisch zijn. Een zee is pas een zee als er géén schip op vaart. Je zou ook een zee kunnen uitbeelden door alléén een schip weer te geven, bedacht ik, maar dan moest je wel erg goed kunnen schilderen.

Maar wat ik wilde vertellen was iets heel anders. Op een zondag, in de kerk, vertelt Freek mij dat hij me iets wil laten zien, thuis, hij wil me iets laten lézen. Het was niet fraai wat ik onder ogen zou krijgen, maar hij wilde er mijn mening wel 's over horen. Ik ging met hem mee naar huis, at mee, zorgde ervoor dat er ook nog wat voor de anderen overbleef en verdiepte mij in een boek dat daar lag, over aardstralen. Het wachten was op het vertrek van de geleerde kostganger. Die ging 's zondagsmiddags altijd naar zijn moeder in Avondlicht. We wachtten lang, zolang dat ik meende dat Freek zich had vergist, maar toen eindelijk de man de deur uit was gegaan (vanuit het zolderraam keken we hem na en hij stapte inderdaad in de trolley en de trolley reed weg, de hoek om), toen gingen we naar beneden. Freek nam de sleutel van de spijker en opende de deur, geruisloos en snel. Hij deed hem aan de binnenkant weer dicht.

Ik liep met hem mee de gewijde ruimte in, keek om mij

heen, zal misschien gezegd hebben dat ik nog nooit zoveel boeken bij elkaar had gezien, toen Freek al van een van de planken een dun boekje tevoorschijn had gehaald, een brochure haast, zo dun – en dit na enig bladeren geopend aan mij voorhield, zijn vinger bij een bepaalde regel. En die regel vertelde mij: 'De bijbel is niet Gods woord; daarvoor is de toon te menselijk.'

Ik las het twee keer.

'Wat vind je ervan' vroeg Freek. 'Laat mij 's kijken' zei ik schor, ik bedoelde het boekje. Ik las wie het geschreven had. Ir. H. Jantzen. *Kleine geschiedenis van de Kunsten* heette het. Uitgeverij De Driehoek. Ik keerde het om en zag op de achterzijde: Andere Uitgaven. Ik keek weer naar de naam van de schrijver.

De bijbel is niet Gods woord; daarvoor is de toon te menselijk.

Ik had nog nooit zoiets gelezen en eerlijk gezegd, ik wist niet wat ik ermee aan moest.

'Hij durft wel' was toen mijn commentaar.

Freek nam het boekje terug, met iets van triomf op zijn gezicht, dat verborg hij niet. Hij zette het boekje waar het thuishoorde en we verlieten de kamer. Hij deed de deur op slot. Geruisloos. Als was het een schatkamer, meer dan ooit. Sommige zinnen blijven voor altijd in je doorklinken.

Made in Spain

Een goeie bal was het niet. Ik had 'm gekocht bij Cito, omdat hij zonder bon te krijgen was. Een grijze, rubberen bal, ongeveer zo groot als een koolraap. Niet echt hard was-ie. Met kracht tegen de grond gegooid, kwam hij niet hoger dan je schouder. Net als sommige planeten vertoonde hij in de vlucht, roterend door de ruimte, een afgeplatte vorm, waardoor hij zich bewoog in een cirkel en het doel meestal faliekant miste. Een bal van niks eigenlijk, maar omdat niemand dat beter wist dan ik en omdat ik hem zelf had gekocht, van mijn eigen geld nog wel en hij was helemáál niet zo goedkoop, zweeg ik daarover.

Mijn oudste broertje vond het een fantastische aankoop. Hij wist niet anders of een bal was een prop papier met zoveel elastiekjes eromheen (ringen van een binnenband geknipt), dat hij hard was als een steen. Zo'n bal kon je beter gooien dan schoppen, daar brak je je tenen op. Maar deze kon je tenminste een lel verkopen.

Voor wie, zoals mijn broertje, in de oorlog tot kennis is gekomen (waarmee ik bedoel dat hij toen ongeveer zes jaar was) is de tijd van na de oorlog niet, zoals voor mij, een herstel van de oude normen en waarden, maar een Nieuwe Wereld, waarin men bijvoorbeeld schoenen begon te dragen. Tot die tijd had de mensheid op klompen gelopen, of op kleppertjes: houten sandalen die niet erg geschikt waren om ermee te voetballen, maar waarop men merkwaardig snel uit de voeten kwam. Op kleppertjes kon men het opnemen tegen bijvoorbeeld een fiets – die geen banden had, nooit had gehad. Pas na de oorlog kregen ze banden. Luchtbanden. Nooit eerder gezien. Waar die oude binnenbanden voor dienden is een logische vraag die niet bij de jeugd opkwam. Ook niet bij mij, want anders dan mijn broertjes wist ik hoe het vroeger, vóór de oorlog was geweest. Zo konden zij nog in de oorlog, telkens als ze weer op straat gevallen waren, met korsten op de knieën lopen tot ze genezen waren en dit normaal vinden. Terwijl ik ook met korsten op mijn knieën liep maar vond dat daar officieel een witte lap omheen hoorde.

Mijn standaard was van vooroorlogse signatuur. Mijn broertjes hadden geen standaard. En zo vond ik de bal die ik had aangeschaft, en waarop een paars, ietwat uitgegleden *Made in Spain* gestempeld stond en die als een schotel door de lucht zeilde, een onding waarvoor ik mij diep geneerde.

Omdat ik bang was voor het scherpe oordeel van Van Zuilingen en nog meer voor de lachbuien van Waterman, gebruikten we de bal alleen maar 'achter huis', tegen de muur, of binnen, in de gang. Middenin die gang hing een lamp, die vele, vele malen geraakt is en als een pop op de kermis heen en weer heeft geslingerd, van plafond tot plafond, maar het nooit heeft begeven, hoewel hij geheel van glas was. Een ijzersterke lamp, die het verdiende in ons spel opgenomen te worden, totdat we weer 's de straat opgestuurd werden. Maar die bal nam ik nooit mee.

Op een middag voor het raam staand zag ik een eindje verderop, op het trottoir, een stel voetballende jongens. Het waren de jongens van Wennekendonk en aan de vorm en de bewegingen van de bal kon ik zien dat het onze bal was waarmee ze speelden, want die waren we al een tijdje kwijt. Hoe kon dit? Ik had mijn broertjes op het hart gebonden niet met de bal op straat te verschijnen. Ik herkende de bal, maar ik zag ook onmiddellijk het probleem. 'Bewijs dat maar 's' zouden ze met de bal onder de arm tegen mij zeggen, 'bewijs dat maar 's dat deze bal van jullie is.' Hoe bewees ik dat zij bij Cito niet net zo'n bal hadden gekocht?

Ik trok de stoute schoenen aan, ging naar buiten, naar hen toe en vroeg ze van wie die bal was die ze inderdaad al onder de arm hadden.

'Die is van ons' zeiden ze alle drie tegelijk.

'O, ik dacht toch echt dat-ie van ons was' zei ik scherp.

'Dan dacht je dat toch echt verkeerd' zei de grootste van de drie Wennekendonks. 'Hij is lekker van o-ons' zong de kleinste.

Diep in mijn hart wenste ik dat ze gelijk hadden. Maar mijn eergevoel zei me dat ik, of ik het nou leuk vond of niet, voor mijn bal diende op te komen. Ik wilde niet terug naar huis gaan met het gevoel dat ik verzuimd had mijn best te doen en toen ik ze na een tijdje zeuren en nog een vergeefse, belachelijke uitval waarbij ik struikelde, toeriep dat ze nog van me zouden horen, kon ik naar huis gaan. Ik had mijn eer gered. Ik was, zij het flinterdun, loyaal geweest aan iets waarvoor ik mij schaamde. Meer kun je van een mens niet verwachten.

Ik besprak het geval met mijn oudste broertje. 'Ze beweren dat ie van hun is.'

Hij grijnsde.

Even later zag ik, in toenemende mate betrokken bij de hele toestand, langs de hekjes een rat rennen (zo snel en schichtig rende hij dat het een rat leek) die plotseling een haak sloeg en de jongens van Wennekendonk de bal afhandig maakte. Daarna (nog sneller dan een rat, en ik zag de Canadese baseballspeler op het gras van het Bernoulliplein) bereikte hij het honk vóórdat de jongens van Wennekendonk hem te pakken kregen en hoorde ik de voordeur in het slot slaan. De jongens trokken een paar keer flink aan de bel, maar dat ze daarna wegholden, bewees volgens mij het onrechtmatige van hun daden.

De bal was van ons. Mijn broertje kon inderdaad de pijl uit een boog inhalen. Bovendien was hij zo slim geweest ze te benaderen zonder gezien te worden. Als ik volwassen was geweest, had ik mijn broer meteen gecomplimenteerd met deze reddingsoperatie. Maar als kind toon je in dit soort zaken, vooral als je de mindere bent gebleken, de onbewogenheid van een dier.

Dat we kort daarna de bal definitief kwijtraakten had een totaal andere oorzaak. We speelden er regelmatig mee op de zandverstuiving van Zeegse, toen we daar met vakantie waren. Dennentakken gaven aan waar de goals waren. Ondanks de onbestuurbaarheid van het projectiel, trapten we dat het een aard had. Ons zusje wilde telkens meedoen, maar we schreeuwden haar toe dat ze ons voor de voeten liep en dat ze, als ze niet oppaste, een bal voor d'r harses kon krijgen.

Dat zusje werd niet door ons verwend. Daarvoor scheelde ze te weinig in leeftijd, ze was maar een jaar jonger dan mijn jongste broertje. Dat ze zich niettemin tegenover ons wist te handhaven bleek onder andere hieruit dat op een dag de bal verdwenen was en dat we, na enig zoeken, van haar te horen kregen dat ze hem had verstopt door hem te begraven, ergens in het zand, en ze ons vervolgens verraste met te zeggen dat ze niet meer wist wáár.

We hebben nog een tijd lang in het wilde weg gezocht, maar hij kwam niet meer boven water. Ze dacht dat ze nu geweldig op haar lazer zou krijgen. Ik liet echter genade gelden voor recht. 'We krijgen', zei ik berustend, 'onze bal er immers niet mee terug.'

Talent

Omdat mijn vader mij prees voor alles wat ik ondernam, dacht ik dat ik voor alles een talent had. Dat eigenlijk alles wat ik ondernam mislukte, ondermijnde mijn zelfvertrouwen niet. Ik mat mijzelf met andere maatstaven en begreep gelukkig vrij snel: belangrijker dan zelfvoldaanheid, in het leven, is zelfkritiek. Als er iets fout gaat in je leven, moet je beginnen de oorzaak in jezelf te zoeken. Er is niemand die mij dat heeft geleerd of voorgehouden. Het was eerder een aspect van mijn eenzelvigheid. Ik was zo op mezelf gericht dat ik in anderen nooit een oorzaak, nooit een rivaal zag. Toen Van Zuilingen zich voor vogels bleek te interesseren, ging ik me ook voor vogels interesseren – zonder 'in het veld' ooit een nieuwe vogel te zien. Toen Waterman proeven ging doen met chemische stoffen en daartoe zijn geld opmaakte bij de drogist, haalde ook ik chemische stoffen in huis, kopersulfaat, waterglas, zonder er proeven mee te doen. Ik hield er een lucifer onder en als het niet branden wilde, zette ik het weg in stopflesjes waar ik een etiket vergat op te plakken. Zo heb ik ook stenen gespaard, veldspaat, gneis, pyriet; ik had precies dezelfde stenen als Waterman. Ik zag precies dezelfde vogels als Van Zuilingen. Je kunt daaruit afleiden dat ik geen enkel talent voor wetenschap had. Ik had geen behoefte mijn kennis te vermeerderen, althans mijn kennis van stenen en vogels, en van chemische stoffen.

Mijn eenzelvigheid uitte zich in een zekere gemakzucht – ik wilde niet onnodig verschillen van anderen. Vechten is niets voor mij. De kunst van het debatteren is mij vreemd. Ik kan alleen maar met mensen overweg die net zo denken als ik.

Net als alle jongens had ik een postzegelverzameling, die ik ook net als de anderen aanvulde door kopen en ruilen. Daar waren regels voor, waar iedereen zich aan hield. Behalve Pastoor, die eigen regels verzon. Hij probeerde mij 's een postzegel aan te smeren, een Roemeense postzegel, waar een gat in zat, een groot gat; er stond een Roemeense monarch afgebeeld, zonder z'n kop. 'Die postzegel is geschonden', zei ik, alsof hij dat niet zelf allang had gezien. 'Nee,' zei Pastoor, 'een postzegel is pas geschonden als er een tandje ontbreekt. Maar deze postzegel heeft alle tandjes nog en is dus niet geschonden.' De zegel was daardoor zelfs iets bijzonders, dacht hij. Ik vond dat een origineel idee en wilde het daarom ook best geloven. 'Maar helaas,' zei ik, 'helaas spaar ik alleen postzegels zonder gat.'

Ik merkte hoe dit antwoord hem overtuigde – en beviel. Het beviel mij ook. Mijn antwoord bracht ons op hetzelfde niveau. Voortaan wilde ik alleen nog maar zulke antwoorden geven.

Het Nieuwe Kanaal

Hoe komt een mens aan zijn grootheid? Zolang hij nog niet volwassen is, telt het vooruitzicht dat hij ooit 'groter' zal zijn.

Maar is hij eenmaal volgroeid, dan blijken lengte en leeftijd niet meer te gelden, dan wordt je gewicht meer bepaald door je persoonlijkheid.

Hoe kom je aan een sterke persoonlijkheid? In eerste aanleg, zou je denken, wordt een persoonlijkheid je bij de geboorte meegegeven en vervolgens per paplepel ingegoten. Zoals sommige mensen gespierd zijn en andere niet, zo zijn er mensen die door een natuurlijk overwicht kunnen gelden als een sterke persoonlijkheid en anderen, door het ontbreken daarvan, als een zwakke of geringe persoonlijkheid. Het verschil echter tussen geringe spierkracht en geringe persoonlijkheid is dat het eerste is te meten en het tweede niet. Spierkracht is eenduidig; persoonlijkheid manifesteert zich op vele terreinen, in vele configuraties van mensen en het is goed mogelijk dat je een sterke persoonlijkheid bent in de ene groep en een minder sterke in de andere; dat je een zwakke persoonlijkheid bent tegenover mensen en een sterke persoonlijkheid... in je eentje.

Jaren geleden was er de gijzelingszaak Herreman, die maandenlang duurde en waaruit tenslotte de gevangene Herreman als winnaar tevoorschijn kwam omdat hij had getoond tegen eenzaamheid opgewassen te zijn; zijn ontvoerders waren dat niet.

Ik leerde uit de jongensboeken die mij staalden voor het leven, dat je je dient te harden tegen pijn. Hoe komt, luidde de vraag die ik mezelf stelde, een mens aan zijn grootheid – tegen een achtergrond van eenzaamheid en trots? Voor een antwoord en een recept kan men terecht bij heel wat boerenromans, en ook de zeevaartverhalen zijn in dit opzicht verantwoord. Maar niet iedereen in Nederland wordt boer, of zeeman. De meesten komen in een buitenwijk te wonen, hebben een baan of baantje elders, zodat er gereden en gereisd moet worden en 's avonds reist men weer terug, op huis an. Maar waar blijft de grootheid?

Die grootheid moet je zoeken bij mensen die, lichamelijk

volgroeid, er niet veel voor voelen boer, schipper of 'kantoorpik' te worden. Hoogstwaarschijnlijk wordt men: filmster, voetbalster, zanger, dichter, kunstenaar in het algemeen, of staatsman, of men wil een beroemde ontdekking gedaan hebben, en de Nobelprijs krijgen. In die orde van grootte liggen de verlangens van hen die, lichamelijk volgroeid, aan het begin van het leven staan.

Ik kom nu tot mijzelf, want ik wil het hebben over het Nieuwe Kanaal. Met al mijn verlangens naar wat ik wilde worden lag ik vaak aan wat officieel het Van Starkenborghkanaal heette, een nieuw kanaal dat (kon je op de nieuwe kaarten zien) als een bypass de stad Groningen van zijn verstopte scheepvaart verlossen moest. Het was een scherp kanaal, vond ik, prachtig uitgesneden op de kaart. En in werkelijkheid, aan de boorden van het kanaal gelegen, zag ik die kaart terug: het was een rationeel kanaal. Ik deed veel met dat kanaal. Ik fietste er heen, verkende het (alsof ik het voor het eerst zag, legde het uit aan de vreemdeling, ik maakte elke keer alle dingen nieuw), ik lag aan de waterkant te kijken, naar de doodenkele tanker die voorbijvoer; soms zwom ik erin. Meestal overdag, maar ook wel 's avonds, en in het donker. Meestal in zwembroek, maar ook zonder.

Ik heb vrouwen ontmoet die hun dromen zagen verwezenlijkt doordat ze voortschreden over de paden van een landgoed dat zij bezaten, als gravin – terwijl ze gewoon in Plan Oost woonden. Ik bezat het Nieuwe Kanaal, als dichter/zwemmer/ingenieur. Bij Dorkwerd is het water wijd. Daar kruist het Nieuwe Kanaal het Reitdiep. Het Reitdiep is een oude rivier, de samenloop van Hunze en Drentse Aa, een schilderachtige en dan ook door vele schilders bewonderde rivier met riet, karekieten en romantiek... Ik prefereerde de rationele romantiek van het Nieuwe Kanaal, temeer omdat ik, in het gras neergelegen, voor iedereen zichtbaar, volstrekt de enige was. Niemand schilderde het Nieuwe Kanaal. Alleen ik. Met een liniaal.

Pas tegen de avond daalde over het kanaal de echte ouderwetse romantiek die van alle avonden is. Dan daalde ik af, langs de klei, naar het glanzende water, voelde ik 'het water woelen over mijn gladden rug, een spoel in het kobalt' – en voelde ik wat de dichter H. Marsman voelde. Marsman beschreef de grote rivieren. 'Denkend aan Holland zie ik brede rivieren traag door oneindig laagland gaan'. Die ontzaglijke rivieren kende ik niet. Nog nooit gezien, maar wel wist ik de grootheid ervan over te brengen op wat eigenlijk niet meer dan een HTS-kanaaltje was. Daarom, wie klaagt dat hij/zij niet opgroeide in de goede omgeving, niet in de goede provincie, niet het juiste klimaat genoot om een zekere adel te bereiken – die heeft z'n kans gemist. Natuurlijk, ik had geluk met mijn Nieuwe Kanaal, maar als dat kanaal er niet was geweest, dan was er wel een ander kanaal geweest, een vaart, een diep, een sloot. Alles is goed, als je het maar een nieuwe betekenis weet te geven.

Ik ben jarenlang van het Nieuwe Kanaal de enige aanbidder geweest. In elk geval was ik de eerste. Tijdens een zomernacht dat ik weer 's, de kleren uit, langs de kluiten klei naar het water afdaalde, om een spoel in het kobalt te zijn, hoewel de zon allang onder was en het water niet meer blauw maar zwart en ik de armen door het water begon te slaan richting Dorkwerd ('Arne Borg zwemt duizend meter. Arne Borg doet alles beter.') – zag ik dat ik niet de enige was. Verderop, aan de overzijde, stond iemand aan de waterkant en ik zag dat het een vrouw was. Ze stapte uit haar rok... Dichterbij gekomen, zag ik dat het mijn zuster was. Ik stak de arm op en zwom verder.

Mijn zus en ik zijn misschien ver van de ouderlijke boom gevallen, maar niet ver van elkaar, in menig opzicht. Beiden Kanaalzwemmers, beiden het hoofd vol gedichten. Ik kwam haar wel 's tegen, in de nacht, op de Winsumerstraatweg. Liep ze daar met de armen over elkaar, de kin geheven – 'Eens liep zij hoog te spreken', van Henriëtte Roland Holst of van die andere Roland Holst, A. We konden elkaars dichters volstrekt niet waarderen. Water en vuur. Ajax – Feijenoord. Vandaar dat we apart gingen zwemmen.

Op een nacht, een van de laatste nachten dat ik aan het Kanaal stond, kwam er opeens een man naast me staan – ik schrok me een ongeluk. Maar hij lachte zacht en vroeg me of ik wel wist dat hier 's nachts vrouwen zwommen, naakt. Ik wist ervan. 'Ik weet ook wie', zei ik en de man verdween weer, ik was niet van zijn praatjes gediend. Ik stond aan het einde van de weg, leunde op een rood-wit hek. Aan de overzijde van het Kanaal stond ook een rood-wit hek, daar werd de weg vervolgd. De oude Winsumerstraatweg. Een klinkerweg met telefoon- en misschien wel telegraafdraden door de lucht, als een oude foto. Door de schop van Rijkswaterstaat in tweeën gestoken, een worm die desondanks doorgaat met leven. Zo heeft dit stille stuk landweg er nog jarenlang gelegen. Flats en een supermarkt maakten er definitief een einde aan.

II

De radio

Dit verhaal staat overeind als een ruïne. Veel is vergeten, er is ook het een en ander onthouden, maar een geheel is het niet. Terwijl het toch als een geheel heeft plaatsgevonden. Er ligt, hoe absurd ook, zelfs een zekere rede aan ten grondslag.

Mijn moeder kwam het me vroeg in de morgen aanzeggen. Ik lag nog in bed, zij kwam de kamer binnen en sloot de deur – zeer ongewoon. Wat ze vertelde was ernstig: mijn vader was die nacht gehaald door de Duitsers. 'Ik heb het niet aan de kinderen verteld', zei ze, 'maar ik vind dat jij het moet weten.' Ik was negen jaar en vanaf dat moment geen kind meer.

'Komt papa wel weer terug?' vroeg ik.

'Ja, papa komt terug, want hij is gehaald. Hij is niet opgepakt. Meneer Waterman is opgepakt. Papa is alleen maar gehaald.'

Ik weet niet of ze deze constructie zelf verzonnen had. In elk geval putte ik er troost uit. En zij misschien ook wel. Ze was de rust zelf. Geen behuilde ogen, ze wist wat haar te doen stond.

Dat wist ik ook. De 'kinderen' waren die ochtend, om wat voor reden ook, door het dolle heen, ik maande ze tot kalmte want ik begreep, met de blik braaf op mijn moeder gericht, dat gegeven de omstandigheden al te veel pret ongepast was. Het was winter, 4 februari 1944.

Het leven ging gewoon door. Dat ik mijn vader eigenlijk helemaal niet miste, kwam door mijn moeder. Ik had haar wel 's zien schreien, ik vond dat een naar gezicht. Maar nu, nu mijn vader gehaald was, schreide ze niet. Niet waar ik bij was. Ik huilde evenmin. We waren de situatie meester.

Wel werden er brieven naar mijn vader gestuurd. Ik schreef hem, 'lieve papa', dat ik witte muizen had in een weckfles, dat ik een trapje voor ze had gemaakt. Niet schreef ik hem dat van die twee muizen er alweer één dood was, ik wist niet hoe dat kwam en ik had 'm al bij zijn lange harde staart gepakt en de tuin in geslingerd. En op school ging het ook goed. 'Ik hoop dat papa gauw weer thuiskomt.'

Deze brief ging samen met een brief van mijn moeder (die in het Duits vertaald had moeten worden) naar het postagentschap aan de Kapteynlaan. Bij de verzending ervan drong mijn moeder, gebogen voor het lage, kleine loket, aan op een EXPRES-zegel.

'Dat helpt u niets' zei de vrouw achter het loket.

'Doet u het toch maar' zei mijn moeder. Ik was het daar in stilte niet mee eens, want als je iets tegen de zin van zo'n juffrouw doet, kon die de brief wel 's helemaal niet meer wegsturen.

Mijn moeder schreef elke week een in het Duits te vertalen brief, maar van mijn vader hebben we nooit een bericht ontvangen. Wel schreef ik hem nog een tweede briefje. Weer over mijn fantastische witte muizen, waarvan nu ook de andere dood was: sereen, wit tussen het omhoogspruitende graan, dat uit de tarwekorrels was ontkiemd, dus van de honger waren ze niet omgekomen. Ook op school ging alles goed. 'Ik ben de beste in rekenen geworden. Ik hoop dat papa gauw weer thuiskomt.'

Eens in de week werd ik op school nagehouden door de onderwijzer die mij dan ernstig vroeg of ik al iets van 'vader' had gehoord.

We hebben nooit iets van 'vader' gehoord. Het enige wat we wisten was dat hij gestraft was voor illegaal radiobezit met twee maanden gevangenschap en ergens in Duitsland tewerk was gesteld.

Op 4 april 1944, toen de twee maanden om waren, gingen mijn moeder en ik naar het Hoofdstation om hem van de trein te halen. We zouden er met de tram heengaan. Mijn moeder dacht eerst dat die stopte op de hoek bij Gruno. Maar ik vertelde haar dat dat de rails van de kolentram waren, we moesten een hoek verder. Lijn 3. Mijn moeder had misschien nog nooit met de tram gereisd.

De trein uit Duitsland zou om vijf voor half drie aankomen. Dat hij om precies vijf voor half drie ook inderdaad stomend en sissend het station binnengleed, een lange, grijze buitenlandse trein, verwonderde mij dan ook niet, maar mag tegen de achtergrond van het toenmalige oorlogsgeweld een staaltje van Duitse orde genoemd worden. Ik weet niet wie er verder in die lange trein zaten. Het was een Duitse trein die op 4 april in Groningen aankwam *omdat* mijn vader op 4 februari verhaftet en tot twee maanden verurteilt was. De hele wereld was daartoe ingericht dat mijn vader, gehaald op 3 februari, volgens het recht en te juister tijd werd afgeleverd en in vrijheid gesteld. Ik begreep dat de wereld zo in elkaar zat.

'Dit verhaal is een ruïne' zei ik. Ik herinner mij namelijk niet de aankomst van mijn vader. Wel zag ik een lange man op ons afkomen, mager als een geraamte, ongeschoren, een lachende doodskop met urinegele tanden. 'Het mooiste moment van mijn leven:', zou hij vaak zeggen, ' – toen ik Tjitske met de oudste jongen op het perron zag staan.' En ik herkende hem niet.

Volgens mijn moeder was ik 'niet aardig tegen hem' geweest, daar op het station, en het duurde dan ook ettelijke dagen voordat ik aan deze man, die zo vreemd lachte en bovendien almaar in bed lag, gewend was.

Hij was doodziek. Hij had als Christus gaten in zijn voeten. In de schoenenfabriek had hij op klompen gelopen die hem te klein waren.

'Ik heb tegen ze gezegd, zo winnen jullie de oorlog nooit.'

Van tijd tot tijd kregen we een vreemdeling op bezoek, een boer uit Usquert, een typograaf uit Meppel, een compleet echtpaar uit Amersfoort, die 'met Krol' gevangen hadden gezeten en getuigden dat ze er 'zonder Krol' niet door gekomen zouden zijn. Mijn vader kon inderdaad, vooral wanneer het hem niet goed ging, een formidabele grappenmaker zijn. Hij verweerde zich tegen deze lof door te zeggen dat hij, als het moeilijk was, maar 'aan Tjitske en de kinderen dacht'. Over de verschrikkingen in de gevangenis en de, begreep ik, verschrikkingen tijdens het verhoor in Utrecht heeft hij nooit meer willen vertellen dan dat hij daar tien uur lang met de neus tegen de muur heeft moeten staan. Waarom zouden we ook meer willen weten, nietwaar? Op het moment dat de mens z'n waardigheid verliest, houdt het verhaal op.

Wat mijn vader op gepaste tijden wel vertellen wilde, was het verhaal van zijn arrestatie. Hoe om tien uur 's avonds een man aan de deur was gekomen die hem had gezegd: 'U wordt straks om elf uur gehaald, u hebt nog een uur tijd om te vluchten. Meer kan en wil ik u niet zeggen, ik speel met m'n leven. Goedenavond.' 'Ik speel met m'n leven, zei die. Ik had kunnen onderduiken, maar ik dacht aan wat ze Tjitske zouden kunnen aandoen. Om precies elf uur kwamen ze.'

Of het verhaal van de radio zelf. 'Kreeg ik op een dinsdagmiddag twee landwachters op bezoek. Dáár zaten ze, met hun lijsten. Volgens onze inlichtingen, meneer Krol, bent u in het bezit van een radio-ontvanger. Nu had ik kunnen ontkennen of er wat omheen kunnen praten, maar dat is mij te min. Ik heb ze mee naar boven genomen, naar de slaapkamer, ik heb de kastdeur opengegooid en gezegd: heren, daar staat-ie.'

De schuilkelder

Het moet na de Bevrijding geweest zijn, in de herfst van 1945. Jarenlang stond er pal voor ons huis, op het grasveld aan de overkant, een schuilkelder. Hij is met alle andere schuilkelders na de oorlog snel opgeruimd, dus veel later dan 1945 kan het niet geweest zijn. Dat houdt in dat ik elf jaar was. Laat ik de vrij zwevende geschiedenis daar maar aan vastknopen.

De schuilkelder was er een van het vroege en primitieve

type. Daarna kwamen er schuilkelders met een stevige, gemetselde poort, met een deur, en naarmate de oorlog vorderde namen de schuilkelders, in het bijzonder die voor het Duitse leger werden gebouwd, de vorm en omvang van bunkers aan. Maar de schuilkelder die voor ons huis was ingericht was in principe niet meer dan een kuil in de grond, een ondiep graf van twee bij vier meter, waaroverheen een plat, tentvormig dak van golfijzer was gezet, waaroverheen een heuvel van aarde was gestort, en daarop groeide gras. De ingang was een trapje naar beneden, maar ook de ingang was beschermd tegen rondvliegende granaatscherven door een kleine heuvel, van een meter hoog, die de toegang opsplitste in een oostingang en een westingang, beide een trottoirtegel breed.

De ruimte binnen was klein, en laag uiteraard; een volwassene zou er niet in rechtop kunnen staan. Maar aan de golfijzeren wanden waren eenvoudige banken aangebracht waarop men kon zitten.

De ruimte werd van stonde aan gebruikt om er te poepen. Het was met verstoppertje spelen of andere spelletjes waarbij je je verborgen moest houden geen aangename plek. Maar eenmaal gewend aan de stank kon je het er wel een tijdje uithouden; frisse lucht en licht kreeg je via de open ingang. Het vreemde was, dat de ruimte meer en meer gevuld werd met krantenpapier. Dat iemand, plotseling in hoge nood, de schuilkelder induikt, kun je begrijpen, maar niet dat hij op dat moment flink wat kranten bij zich heeft. Toch was de ruimte voor meer dan de helft gevuld met een chaos van uitgeslagen en propvormige kranten – wie deed dat toch? Ik had al geprobeerd ze in brand te steken, maar het levendige vlammetje doofde vrij snel en de gedachte aan zuurstofgebrek deed me de ruimte weer snel verlaten.

Voor vuur heb je trek nodig en daarom begon ik met een ijzeren staaf het golfdak los te wrikken. Aan de buitenzijde. Het gras was door ons gespeel allang verdwenen, de zandbult legde meer en meer het ijzeren casco bloot: golfplaten die met moeren aan elkaar waren gedraaid, en gelast. Het lukte mij, al wrikkend, een gat te maken. Terug in de kelder kon ik voor het eerst de buitenlucht zien.

Het was zondagmiddag. Ik had een afspraak met Waterman in de schuilkelder – een afspraak die ik niet helemaal begreep. Hij had mij toegezegd dat ik voor het eerst van m'n leven een 'naakte vrouw' zou zien, daar zou hij voor zorgen. Het kostte een dubbeltje en dat dubbeltje had ik bij me. Voor het geval. Maar toen hij niet naar buiten kwam, om vier uur, zoals de afspraak was, ben ik mijn eigen gang gegaan.

Ik was begonnen met het transport van de berg kranten (de opening in het dak zorgde ervoor, meende ik, dat ik geen gasmasker hoefde te dragen) toen ik de stem van Waterman hoorde, die riep: 'Krol, ben jij daar?'

'Ja!' riep ik gehoorzaam.

Ik wilde naar buiten gaan, maar liep tegen het meisje Wia op. Ze daalde af, in een wit jurkje met strikjes, en daarachter zag ik het opgewonden hoofd van Waterman die mij om het dubbeltje vroeg. Ik haalde het tevoorschijn, gaf het hem en begreep wat ik ervoor gekocht had. Ik ging terug, de schuilkelder weer in en zag hoe Wia haar broekje naar beneden had gedaan en met gekruiste armen haar jurkje optrok tot aan haar oksels. Wia Wennekendonk, rood haar, toonde mij haar sneeuwwitte lijfje, met onderin haar buik een verticaal knipje...

Niks bijzonders. Dat had ik bij mijn zusje al zo vaak gezien. Wat bijzonder aan deze Wia was, dat waren haar ogen. Ze bleef almaar zo staan, het broekje om de enkels, het lichaam bloot en daarboven, boven dat opgeschorte communiejurkje, schitterde de hartstocht van haar blik. Het was de brand in haar donkere ogen, het vuur in haar jonge-meisjesziel dat mij trof, wanneer ik er nog 's aan terugdacht. Op dat moment had ik er geen antwoord op en er dus ook nauwelijks een zintuig voor. Ze moet, heb ik uitgerekend, negen jaar geweest zijn.

Jonger en toch ook ouder dan ik – dat heb je met meisjes.

Ze liet haar jurkje neer, trok haar broekje op en wrong zich langs mij heen naar de uitgang.

Ik ging verder met het verspreiden en opkloppen van de kranten, die merkwaardig droog waren – dat beloofde iets. Ik verzekerde me van voldoende toevoer van lucht door het gat in het dak vrij te laten. Toen het papier op z'n plaats lag en elke krant goed in staat was de andere aan te steken, gooide ik, staande op het tegeltrapje een brandende lucifer naar binnen als was het een handgranaat en vluchtte naar buiten, het grasveld op. Ik keek toe, totdat ik wel moest aannemen dat de lucifer was gedoofd zonder zijn werk te hebben gedaan.

Pas bij de vierde poging, waartoe ik mij weer geheel in het hol waagde en de berg papier op verschillende plaatsen tegelijk in de fik stak, begon het geheel te roken en te branden. Opnieuw vluchtte ik, maar nu om op een afstand te zien hoe de vlammen naar buiten kwamen. Het was een feestelijk gezicht: een grote stierenkop met twee brullende horens, een vuurkracht die mij het idee gaf dat dit wel 's uren kon duren.

Achter mij hoorde ik opeens Waterman schreeuwen van brand! Alsof het zonder dat geschreeuw van hem niet ook al duidelijk was. Daarom: hij schreeuwde om duidelijk te maken dat hijzelf niets met die brand te maken had – en niets met mij. Dat maakte mij nijdig.

Het vuur was snel uit. Toch niet genoeg kranten. En ook stopte daar een agent van politie, op een motor met zijspan. Ik kwam naar hem toe, zag dat intussen enkele tientallen mensen waren blijven staan kijken, in een kring om ons heen. Keurige mensen, sommigen het kerkboek in de hand. Ik keek naar mijn huis en zag gelukkig niemand achter de ramen.

De motoragent hield zijn hand op en vroeg naar mijn lucifers. Ik overhandigde hem het doosje (merk Vlinder), dat haast de criminele waarde had van een revolver.

Het zag er somber uit voor mij, vertelde de man mij. Ik moest plaatsnemen in het lege zijspan en werd naar het politiebureau in de Moesstraat gereden.

's Avonds, het was allang donker, werden mijn ouders gebeld via de buren, dat ze hun zoon konden ophalen.

De achterkamer

Ingesloten door voorkamer en serre, links, rechts en boven door de buren, bood tegen het einde van de oorlog, toen we meermalen getuige waren geweest van branden en bominslagen, de achterkamer de beste bescherming, zeker tegen rondvliegende scherven. Bovendien was het er warm, warmer dan het ooit in de ijskoude voorkamer kon zijn, waar twee cyclamen voor de ramen lieten zien hoe goed een plant in de winter bloeien kan.

In de serre werd geslapen. In de keuken werd gewassen, daar konden wij ons 's morgens voor school even 'om de neus vegen' en 's zaterdagsavonds stonden wij natuurlijk in een tobbe voor de kachel, maar lang niet elke zaterdag, want kinderen blijven wekenlang schoon.

De kachel was een monster: een grote ijzeren pot die, als het vuur flink was opgestookt, roodgloeiend in de kamer stond. Die kachel brandde altijd, waarover ik me nu verbaas, want ik kan me niet herinneren dat we veel kolen hadden. Het kolenhok in de schuur tenminste was leeg. Er waren meer dingen die toen, voor ons kinderen, vanzelf spraken en die ik vandaag eenvoudig niet begrijp. Geen elektriciteit, geen gas, de meeste kranen bevroren. En dan een aker vol wasgoed in ijskoud water. Die stond in de keuken, op een zogenoemd Russisch duiveltje, een houtkacheltje niet groter dan een conservenblik, waarvoor mijn vader op de knieën zat te blazen en hij kreeg de was aan de kook.

Op weg naar school kon ik op de thermometer bij apotheek Eckhart aflezen dat het vijftien graden vroor, een keer achttien. Mijn glorie was dat ik geen muts droeg. Dat vond ik niet nodig. Van de kou herinner ik me niets. Op het aanrecht in de keuken bouwden wij een fort van ijsblokken, elke morgen met een hamertje uit drie emaille kroezen getikt. Als ik denk aan kou, zie ik die twee lila cyclamen.

Mijn vader had vriendschap gesloten met een boer in Noorddijk. Na schooltijd, het was dan al donker, reed hij, letterlijk voorgelicht door zijn eigen verduisterde fietslantaarn, op een houten achterband naar Noorddijk. Onder zijn vest droeg hij een curieus dubbel harnas van blik, waarin hij elke keer weer, onder het oog van de Duitse controle op Oosterhogebrug, zes liter volle melk huiswaarts bracht, die hij vervolgens op tafel zette, viermaal in de week.

De zomers hadden we in dat Noorddijk een lapje grond in bruikleen, waar we aardappels op verbouwden, snijbonen, uien, prei en tabak. De snijbonen waren geoogst, gesneden en ingemaakt, de aardappels lagen samen met de uien en de prei, onder de trap. Het leek veel maar het raakte toch betrekkelijk snel op. De tabak hing te drogen in de grote kast naast de gang.

Hoe ze het in haar hoofd haalde weet ik niet, maar ik zie hoe mijn moeder, net hersteld van een longontsteking, op een zaterdagmorgen in de sneeuw op de fiets stapt naar Usquert, op zwakke banden die bij Noorderhogebrug al begonnen te stoten, naar ze vertelde. Op lege banden fietste ze door de sneeuw naar Usquert om aan het eind van de middag met een mud aardappels weer thuis te komen. Stond ze schreiend in de deur. Omdat het gelukt was.

Dat herinner ik me. Van enige honger herinner ik me niets, hoewel we rare dingen gegeten hebben. We aten massee: kweeïge suikerbrokken waar je kiezen van gingen jeuken. Als er brood was, werd dat belegd met een schijfje suikerbiet, nadat het eerst bestreken was met wat in de handel werd gebracht onder de naam Butaroma, kunstboter, geel snot dat nu en dan zonder bon verkrijgbaar was. Stond je voor in de rij. Albumona had je ook, een meelsurrogaat dat smolt op de tong, dat aan kinderen verkocht werd als 'slik' en gemengd met gebakken ui ons 's tijdens een zondagmaaltijd werd gepresenteerd als iets nieuws. Mijn broertjes zaten te kokhalzen, die waren nog te jong, zodat ik hun eten opat, ik lepelde hun borden uit. Ik had nergens last van. 'Die jongen heeft een maag van beton' zei mijn vader.

Gepofte tarwe aten we als er geen aardappels waren en als er geen pap was stond er een bord kunstgrutten op tafel: een oranje smurrie waar zelfs ik van gruwde, maar ik at het wel op. Ik wilde lijken op de Leidse burgemeester Van der Werff die ratten at en gras, omdat hij de stad niet wou overgeven. Dit heldenverhaal had ik op school gehoord en het vervulde me met een sterk verlangen naar bittere omstandigheden waarin ik kon laten zien wat ik waard was.

's Avonds, als mijn vader de krant uit had, mochten wij aan tafel gaan met onze boeken en puzzels, 'onder de lamp' had ik bijna geschreven vanwege de gezelligheid, maar die lamp brandde uiteraard niet. Wat brandde en licht gaf was het oliepitje. Een glazen kom, met olie, daarin lag een drijvertje, rechtop, het kousje met een vlam ter grootte van een vinger. En dat verlichtte de kamer, we konden tenminste de meeste dingen onderscheiden. Die olie ('patentolie, niet voor consumptie') werd ons van tijd tot tijd toegestuurd door een oom in Zaandam, telkens drie flessen. Van een tante in Friesland kregen we blokken hout toegestuurd, afkomstig van een boom die was omgezaagd. Een linde, ik kende de boom wel. De blokken (op de bakfiets naar Gaastmeer gebracht, verscheept naar Sneek, daar opgeslagen, vervolgens met de Drachtster tram naar Groningen vervoerd, tenslotte aan huis afgeleverd met paard-en-wagen) – die blokken waren, zo rekende mijn vader uit, drie weken onderweg geweest. Dat al deze diensten betrouwbaar waren, dat er bij alle schaarste niet gestolen werd, dat de PTT werkte, de waterleiding functioneerde, de krant uitkwam, de tram reed, dat je pakjes levensmiddelen kon versturen naar het hongerende Den Haag en dat die aankwamen, dat mensen hun werk bleven doen – in die zin is een volk misschien wel onoverwinlijk.

In de keuken stonden drie petroleumstellen, daar kookte mijn moeder op. Hadden we dan petroleum? Hadden we in de oorlog aardolieproducten? Waar kwam dan die aardolie vandaan? Hadden we lucifers? We hadden lucifers. Ik werd, toen er nog volop lucifers waren, in '42 of '43, omdat mijn vader bang was dat hij straks geen vlammetje meer voor zijn sigaret kon houden, de stad ingestuurd met een grote tas en bij elke kruidenier kocht ik een pak lucifers van tien doosjes, eenentwintig cent per pak. Met een volle tas naar huis, en met een lege weer op pad. Zo hamsterde ik die middag een mud lucifers bij elkaar. We hadden trouwens in die laatste winter niet veel lucifers meer nodig.

Sommige mensen, zelfs jongens op school, waren in het bezit van een knijpkat, een handdynamo. Voor in het donker, als je naar de wc moest. Een uitstekend idee, vond mijn vader, maar elke keer als hij thuiskwam had hij weer geen knijpkat gekocht. Ook mijn idee een fiets in de hoek van de kamer te zetten, op een stander, de dynamo op het achterwiel, werd begroet als 'een uitkomst', 'het ei van Columbus', maar het vooruitzicht dat iemand de hele avond in een donkere hoek zou moeten zitten fietsen, deed ons afzien van verdere realisatie.

Maar waarom zouden we ook meer licht willen? Ik las verder in *De schat van het Zilvermeer*, over de avonturen van Winnetou en Old Shatterhand, mijn broertjes speelden het spel Hoedje, mijn moeder breide, het lampje brandde, we hadden volop patentolie, mijn zusje zong en mijn vader was, zoals zo vaak, in zijn stoel in slaap gevallen.

De vernielde stad

Dat 'heel Groningen' in brand stond zagen we pas toen het donker begon te worden: in het zuiden was de lucht oranje. Mijn moeder haalde ons voor de ramen weg, maar even later stonden we er weer. De avond was gevallen, het vuur in de verte kwam boven de huizen uit. We renden naar achteren en schreeuwden dat je de vlammen al kon zien.

Die nacht belden er vluchtelingen bij ons aan, mensen die wij niet kenden, maar die wij binnenlieten met een bijbelse ernst. Ze vertelden dat er in de binnenstad geen huis meer stond dat niet brandde... Ze kregen de grote kast onder de trap als schuilplaats; mijn moeder bracht er matrassen heen, dekens en een lampetkan vol water. Erg veilig konden ze zich bij ons toch niet voelen, want ook uit het noorden van de stad kwamen nu mensen, met karren en kinderwagens plus het alarmerende bericht dat op de Hoogte granaten waren ingeslagen, zodat we er nog twee families bij kregen, die in de voorkamer sliepen.

De volgende morgen vroeg waren ze weer vertrokken. Het schieten was afgenomen en de zon scheen. Het front, meende mijn vader, had zich verplaatst. Ik dacht aan onweer dat was weggetrokken. Voor ons huis, over de verlaten weg, reed een colonne Duitse vrachtwagens, die kort daarop weer terugkwam met op de voorste wagen een witte vlag – voorafgegaan door een langzaam rijdende Duitse motorordonnans voor wie we, toen hij in onze richting keek, snel achter de vitrage schoten.

's Middags bleek dat we bevrijd waren.

Iedereen was blij, de straten waren vol. Mensen liepen in rijen, gearmd en zingend. Er waren, als vanouds, rood-witblauwe en oranje vlaggen uitgestoken. Er reden weer Nederlandse motorfietsen rond, met een Gronings nummerbord. In zijn voortuin zat meneer Van Zuilingen. Over hem was verteld dat hij 'in Duitsland was omgekomen' – een gedachte waarvoor ik mij schaamde toen ik hem een hand gaf.

Op de hoek van de Eyssoniusstraat werd 's avonds een groot vuur gestookt van stro, balen stro die uit de boerderij van Kamps werden aangesleept. Nu de oorlog voorbij was en het voorjaar was aangebroken kon al dat stro uit de stallen worden gehaald. Kamps zelf hield het vuur gaande. Een paar Canadese soldaten, die erbij stonden, wezen hem op zijn grote gele snor: oppassen dat die niet ook in de brand vloog! Iedereen lachte, blij dat we elkaar verstonden en begrepen.

Dat de binnenstad was afgezet, weerhield mij er niet van de volgende dagen telkens poolshoogte nemen. Langs de gewapende wachtposten heen zag ik de belofte van een huizenhoog romantisch kerkhof. Pas toen de 'gevaarlijke' muren waren omvergetrokken, werd de binnenstad vrijgegeven. Toen ik voor het eerst de stad inging, richting Grote Markt, zag ik het al; wat een ruimte was erbij gekomen! Wat een vlakte. Al vanaf de Hofstraat kon je het Stadhuis zien staan en voor het eerst zag ik dat het enigszins op een heuvel stond.

We konden ook weer naar school. We gingen gewoon met de volgende les verder. Of je nu bezet wordt of bevrijd, de school trekt zich daar niets van aan, je moet leren wat in de boekjes staat, de boekjes zijn nog van voor de oorlog – terwijl ik ernaar hunkerde te lezen hoe de bevrijding van Groningen in z'n werk was gegaan.

De grote verandering lag op straat. Nu de binnenstad in puin lag, waren er vele wegen mogelijk om naar school te gaan en 's middags via nog veel lastiger klimpartijen thuis te komen. Nu er niets meer kon instorten werden wij kinderen (altijd weggestuurd waar het leuk was en spannend) in onze onderzoekingen ongewoon lankmoedig met rust gelaten. We konden daar almaar gewoon onze gang gaan. We mochten ons verbeelden dat die stinkende, verbrande hopen steen, verwrongen ijzeren balken en die kelders, nissen, trappen, ons terrein waren, wij wisten daar de weg als geen ander.

Thuis las ik met rode oortjes in het *Groninger Dagblad* wekenlang een met Romeinse cijfers aangeduide reportage van 'De Strijd om de Stad'. Ik las dat 'de stad zijn wonden likte' en kwam te weten hoe elk van deze wonden was toegebracht. Grote Markt Noordzijde en Oostzijde, Ebbingestraat, Stoeldraaierstraat, Guldenstraat, Waagstraat, Heresingel, Rodeweeshuistraat, Westersingel... Het leek mij dat met deze 'Strijd om de Stad' geschiedenis was geschreven. Ik was onder de indruk, vooral van het feit dat ik er zelf bij was geweest. Ik las dat het totale aantal slachtoffers onder de burgerbevolking 102 bedroeg. Ik ging de lange lijst na en stelde vast dat ze de naam bevatte van Trijntje Bazuin, het meisje dat twee dagen na de bevrijding, terwijl ze in haar eigen tuin stond te touwtjespringen, getroffen was door een 'verdwaalde kogel'. Ik vond het spannend dat ik haar gekend had.

De puinhopen bleven in onze mond puinhopen heten, maar werden allengs puinvlakten. Geëgaliseerd terrein begroeid met gras waarin paden waren ontstaan. Een netwerk van looppaden, diagonaal en recht van punt tot punt omdat de kortste afstand tussen twee punten nu eenmaal een rechte lijn is. Een netwerk van driehoeken dat aangeeft hoe de mensen zich bewegen. Je ziet het ook op de Grote Markt, alle trottoirs ten spijt, als het gesneeuwd heeft: de weg die mensen in werkelijkheid gaan.

Daarom, maar ook om andere redenen, was ik, meer en meer, de mening toegedaan dat de ruimte die met de Strijd om Groningen was verkregen, nooit weer opgegeven mocht worden. De plannen van professor Granpré Molière, om de noordwand van de Grote Markt weer te herstellen, inclusief de vernauwing van de Ebbingestraat, wees ik ziedend van de hand. Ik was toen alweer veertien jaar en had heel andere plannen en die waren niet gering: één grote bestrate vlakte en ik dacht daarbij aan het Rode Plein in Moskou, wist van het Mexicaanse Plaza de Constitución, 'het grootste en mooiste plein van Noord- en Zuid-Amerika'. Zo moest Groningen worden. De noordwand moest worden teruggebracht tot de Jacobijnerstraat of liefst tot aan de Spilsluizen, gemarkeerd NIET door banken en warenhuizen, maar door opera's en bibliotheken. Gericht op het zuiden, schitterend in de zon. Maar ik was bang dat, zo niet Granpré Molière, dan toch wel 'de winkels' zouden winnen. Toen, zes jaar na de oorlog, in de Ebbingestraat het eerste, daartoe met rood-wit-blauwe vlaggen getooide winkelpand 'herrees', een zaak in radio's en wasmachines, zag ik wat een gewone rooilijn vermag. Die straat werd weer gewoon volgebouwd. Evenals de Grote Markt. Die rooilijn was, om de winkels wat te matigen in hun expansiedrift, nog een stuk naar achteren geschoven: acht meter aan de noordzijde en vijftien meter aan de oostzijde van de markt, hoek Poelestraat. We hebben nog een paar jaar het voorrecht gehad vanuit de Oosterstraat en vanuit de Zwanestraat oog in oog te kunnen staan met een slanke Martinitoren, niet op de diagonaal, want dan is de toren niet op z'n fraaist, maar frontaal genoten of pal van opzij en dan ook de hele toren, van de voet tot de spits, in zijn volle lengte. Maar helaas, dat ziet men niet meer en dat zal, als er niet weer een oorlog komt, niemand ooit meer te zien krijgen. De commercie, die geen oog heeft voor schoonheid en nimmer bescheiden opereert, heeft deze smalle, vitale strook opnieuw in bezit genomen. Het zicht op de toren, de gehele toren in al zijn slankheid, is ons door de onbeschaamdheid van het geld voorgoed ontnomen.

Bordewijks *Blokken* las ik pas in 1952: 'Buizen spoten het zand, walsen rolden het glad. Fijne steen werd gevloerd, en het asfalt ging er over in lange lappen. [...] De stad begon haar leven van vroeger, maar in het midden was een onafzienbaar asfaltplein.'

Voor deze grootsheid, toegegeven, is een stad als Groningen te klein. Maar *Blokken* is een persiflage, het verhaal van een dom, conservatief regiem. Want lees hoe het verhaal verdergaat: 'In het vernietigd kwadraat werd verwoed gewerkt aan herbouw. De woningen, op hun oude betonfundamenten waren er al weer uit de grond tot de tweede bintlaag.'

Het kompas

Voor mijn twaalfde verjaardag kreeg ik een kompas. Ik was er erg blij mee. Het had een koord om het aan je hals te kunnen dragen. Ik ging ermee naar buiten, omdat het in huis niet werkte, maar buiten voor ons huis werkte het ook niet en 's middags ging ik ermee naar 'achteraan de Korreweg', naar het open veld en ook daar werkte het niet. Het ijzeren pijltje dat in evenwicht op de punt van een naald lag te sidderen, toonde geen speciale voorkeur voor het noorden. Het was een waardeloos prul dat ik had gekregen. In het fietsenschuurtje gaf ik het een laatste kans door het een sterke magneet voor te houden, maar ook op deze magneet reageerde het niet.

Ik verstopte het kompas op een plek waar iemand het niet gauw zou vinden. Ik wilde er niet mee naar mijn ouders gaan, maar ook niet naar de winkel waar mijn moeder het had gekocht, want winkeliers, was mijn ervaring, zijn dom. Men zou het ding net zolang schudden tot het een keer het noorden aanwees en dan zeggen: zie je wel, een beetje geduld hebben. Of, als ik mijn magneet tevoorschijn haalde, zou ik meteen te horen krijgen dat je een kompas, welnee, niet met een magneet moest mishandelen, dat was heel verkeerd. Ja, nou begrijpen we waarom jouw kompas niet meer werkt, jongeman. Zie je wel, je hebt het al vernield.

Dit sneue verjaardagscadeau heeft niet nagelaten mij te vormen, als mens. Tegenover allerlei instrumenten ben ik een funest wantrouwen gaan koesteren. Wetenschap was bedrog. Lange tijd, als ik een kompas zag, kon ik niet geloven dat het werkte. Het klonk goed: 'kompas', 'even op het kompas kijken' – voor de show. Maar echt werken deed zo'n ding niet en misschien, meende ik, wel geen enkel instrument. Thermometers? Je las elke keer een andere waarde. Zo had ik ook een verrekijker, een blikken ding met nauwelijks een vergrotend vermogen. Keek ik erdoor naar de maan, dan zag ik die, hoe ik ook tuurde, niet anders, niet duidelijker dan wanneer ik met het blote oog keek. Ook als ik de buren van de overkant ermee bekeek – ik kreeg ze niet dichterbij.

Het liefste wat ik deed was lezen. Omdat ik 'de hele dag met de neus in de boeken' zat, mijn 'ogen verknoeide', dacht mijn moeder dat het een goed idee was, voor mij, om bij de padvinderij te gaan. Dan was je veel buiten. Speurtochten. Kamperen. Goed voor het lichaam.

Ik kwam bij de padvinderij als verkenner. Niet als welp, ik droeg niet zo'n kinderachtig groen petje, maar ook geen cowboyhoed helaas, want die waren er niet. Ik droeg een paarsgroene halsdoek, diagonaal gevouwen, om de hals gelegd en de punten samengehouden door een gordijnring. Deze halsdoek was strikt persoonlijk en onder geen beding mochten mijn broertjes ermee de straat op. De Zwervers heetten wij.

Omdat het winter was, was de padvinderij binnen, ergens op een grote zolder. We werkten er met stukken scheepstouw, om er knopen in te leggen, we leerden de tweeëndertig windstreken (noordnoordoost-ten-oosten) en nog meer van deze dingen, het padvindersreglement, de tien goede daden. Ik heb, tijdens de grote uitvoering, voor de ouders, aan een toneelstukje meegedaan. De uitbeelding van de vierde goede daad: de helpende hand te bieden aan behoeftigen en ouden van dagen. Ik was een oud vrouwtje, dat met de grootste moeite een grote zware takkenbos op haar rug tilde. Ik droeg een zwarte, lange jurk en een zwart mutsje, met keelbanden. Het probleem was hoe kwamen we aan zo'n grote, zware takkenbos. Gelukkig was daar Piet Oldenburger, wiens vader in de bosbouw werkte. Die zou ons wel zo'n takkenbos kunnen leveren. Op de avond van de uitvoering had Piet geen zware takkenbos bij zich, maar drie of vier van de gemeenteliguster afgerukte twijgjes – dat was mijn zware takkenbos. Ik kon ze haast niet op mijn rug krijgen. Daar kwamen gelukkig twee padvinders aan. 'Mevrouwtje,' zongen ze, 'wat is het probleem?' 'Ken niet dráágen' schreeuwde ik en ziet, daar werd ik met ligustertwijgjes en al op de schouders genomen en met grote vaart het toneel afgevoerd. Mijn vader was vooral 'geschrokken' van mijn 'afschuwelijke Groningse accent'.

Verder hadden wij oefeningen in de stad. Moesten we vaandrig Vos opsporen. Die stond achter een vitrine van Peek & Cloppenburg, vermomd als een zwerver. Ik zag wel dat het vaandrig Vos was, die oude, vieze man, omdat hij haast geen kin had, Vos had ook bijna geen kin. Maar ik had niet het lef hem te ontmaskeren.

Op 26 maart, op een zaterdag, vierden wij de Lentedag in Steenbergen, achter Roden. Het was koud en bewolkt weer. We deden een speurtocht en bij die gelegenheid kregen wij groepsgewijs een kompas mee. Ik vroeg of 'die dingen' wel werkten. Ze werkten, maar ik hoefde er niet eentje, zei ik, ik kon 't zó wel. En dat was waar. Ik had me dat zelf geleerd. Ik weet bijna altijd waar het noorden is. Als de zon schijnt en je weet hoe laat het is, is het al héél makkelijk. Maar ook zonder zon en zonder horloge weet ik het, automatisch. Je begint, probeerde ik uit te leggen, met vast te stellen waar het noorden is, dat weet je dan eenmaal en hoe je verder ook loopt, je onthoudt het, je telt het erbij op of je brengt het in mindering, welke bochten je onderweg ook maakt en zelfs als je verdwaalt, je onthoudt het automatisch. (Het is eigenlijk je lichaam dat het registreert.) En tijdens de speurtocht bleek dat ik gelijk had. Elke keer als er weer een opdracht was gevonden en het noorden moest worden bepaald, of het zuiden, of het zuidoosten, dan wees ik dat aan, sneller dan zij met hun kompas – dat duurde een eeuwigheid.

Ik zocht een smoes om van de padvinderij af te komen. De laatste dag dat ik meedeed was Sint-Jorisdag, 23 april. We stonden aangetreden op de Ossenmarkt. Alle padvindergroepen van de stad, om zeven uur 's morgens. We stonden opgesteld als pelotons, straalsgewijs. In het midden van de grote cirkel stond op een verhoging de commissaris van de Koningin, die de naam afriep van telkens de volgende groep, die dan naar het midden marcheerde, zodat aan het eind van de ceremonie alle groepen naar het midden waren gemarcheerd. Behalve wij. De Zwervers. Onze naam was niet afgeroepen en toen het duidelijk was dat wij waren vergeten, lachten we van schaamte en holden we ongeordend zo snel mogelijk naar het midden omdat we bij de anderen wilden zijn.

Een dienstmeisje

Het pad der liefde – ik wilde niet dat dat over rozen ging. En nóg heb ik altijd de neiging, het beste uit te stellen voor later.

Met een meisje gaan omdat het de vriendin van je zus is, of omdat het het zusje is van een van je vrienden, of omdat ze op dezelfde club zit – niets voor mij. Ik had geen vriendjes met een zus en de meisjes die ik kende van school, die kende ik al te lang om ze nog op te merken en buitendien, ik wilde geen meisje dat werkte voor haar gymnasiumdiploma, ik wilde een straatmeid. Een die niet lezen en schrijven kon, puur natuur – volgens mij waren die er nog wel.

Ze waren er niet. De stad had toentertijd maar drie, hooguit vier knappe meisjes. Iedereen kende ze. Ik ook. Mij daarentegen kenden zij niet. Ze zagen niet dat ik daar liep, als ik ze tegenkwam in de stad. Daarom, ik zat meestal thuis. Zoals gezegd, Van Zuilingen liep met Wies, Waterman met Lies, allebei meisjes van de kerk. En ik, zestien jaar, lag languit en omgekeerd op de divan, folders lezend tot mij van verveling de grijze stippen voor de ogen zonken en bleef zonder meid.

Mijn moeder wilde mij op een club hebben, maar welke club, er was geen leuke club. Dus dan pakte ik mijn fiets en reed ik maar weer 's door de lege straten van de stad.

Vier knappe meisjes, hooguit. In de Graaf Adolfstraat woonde er een, in Plan Oost (die had al een kind), op het Deliplein en een ergens achterin Helpman, een halfbloedje, maar dan had je het wel gehad. Als ik al fietsend een van hen onverwacht tegenkwam, keek ik haar doordringend aan of ook wel keek ik juist expres helemaal niet naar haar, want ik wilde niet de naam hebben een rokkenjager te zijn. Ik was dat namelijk in het geheel niet. Een mooi meisje – ik was als de dood dat ze tegen haar vriendinnen zou zeggen 'die vent zit ááI naar mij te loern'. Tot dat soort wilde ik niet horen.

Godzijdank kwam er een dag dat ik deze trots kon laten varen. Dat zat zo. Mijn moeder betrok altijd haar dienstmeisjes van het Toevluchtsoord. Die hadden bij mijn vader in de klas gezeten, toen ze nog naar school gingen. Ik kende ze wel. Zwarte jurkjes aan. Groene mutsjes op. Ze liepen, hand in hand, in de rij naar school en om twaalf uur, en om vier uur, weer terug naar het Toevluchtsoord. Tot ze veertien waren, dan kwamen ze bij de mensen te werken. Alie, Lammie, Annie, Dinie – elk van hen heeft mijn bed opgemaakt, mijn schoenen gepoetst. Als ik naar school ging, passeerde ik haar in de keuken. Een-meisje-voor-de-morgen. Ik kan me niet herinneren dat ik er ooit een heb gegroet. Niet dat ik onvriendelijk was, maar het waren eenvoudig geen meisjes voor mij.

Totdat op een zaterdagmiddag... Ik kwam thuis van een ommetje over Zoutkamp en zag in de voorkamer mijn moeder zitten met een zigeunermeisje, leek het wel. Pijpenkrullen tot over de schouders, zwarte ogen die mij toelachten.

'Ons nieuwe meisje, Gerrit.'

Ik gaf haar een hand. Viola heette dit schitterende wezen en ik ging tegenover haar zitten. Een prachtig gebit had ze. Ze was aan het vertellen, over haar moeder en haar vader, wiens 'handen nogal los zaten'; we luisterden en begrepen. Uit Friesland kwam ze, niet uit Moravië dus, maar dat kan. Je hebt in Friesland heel donkere mensen, trouwens mijn moeder zelf was daarvan een goed voorbeeld, legde ik haar uit, en Viola, zei ik haar – mooie naam vond ik dat.

Mijn vader was binnengekomen, maar ik ging voort met het gesprek, en met mijn vragen. Ik zat pal tegenover haar, lachend. Wijdbeens. Wervend. Zielig. Met een knikje over z'n linkerschouder stuurde mijn vader mij de kamer uit ('je niet zo aanstellen, jongen') en boven, op mijn kamertje, betreurde ik het dat ik mij zo in de kaart had laten kijken. Ik nam me voor dat dit meteen de laatste keer was geweest. Ik trok me weer helemaal terug in mezelf. Ik voelde de vlammen branden, maar: 'wees vanbinnen vuur, vanbuiten ijs' luidde het voorschrift dat ik toen nog niet kende en elke morgen stapte ik over de gepoetste schoenen heen naar de tuindeur, naar mijn fiets; zag Viola met haar buik tegen het aanrecht staan waar ze aardappels stond te schillen, een kont als een paard. Ik groette haar, was vriendelijk, maar 'meer niet'.

In mei heb je de Meikermis. Ik liep daar wat rond, maar ging 'nergens in'. Ik was meer een soort inspecteur die de mensen gadesloeg, of ze wel oprecht plezier hadden, ik keek of het mijn soort mensen was. Of ze voor mij waren of tegen. Als je niet op een club gaat, ga je van eenzelvigheid een club in je eentje vormen.

Maar deze avond zou ik niet alleen blijven. 't Was tegen negenen toen ik Appie tegen het lijf liep. Appie wist altijd 'waar de meiden zaten', maar we hadden er nog geen een gezien. Niet de meisjes die we zochten. En toen, of het kwam dat ik met Appie liep of niet, tegen het eind van de avond, het werd al schemerig, kwamen we uitgerekend Viola tegen, met haar vriendin.

'Hallooo!' riep ze lachend naar mij en ze bleef staan. Bleef staan! Voor mij! Hoe het met mij was. Alsof we elkaar in lange tijd niet meer gezien en gesproken hadden – in zekere zin was dat waar. Ik zei goed, heel goed. En met jou? ('Jou...' – een warmer, intiemer woord is er niet.)

Ook goed dus. Ze giechelde naar haar vriendin, met wie ze vervolgens, teleurstellend, weer gearmd verder liep. Maar was dat niet een uitnodiging aan ons hen te vergezellen? We liepen met ze mee. Ik naast haar. Appie naast de vriendin. Ik zag wat hij aan het doen was en ik deed het ook: ik probeerde Viola een arm te geven, maar ze hield haar arm strak en stijf tegen zich aan.

De meisjes liepen de kermis af, door ons geëscorteerd. Plotseling holden ze weg. Wij erachteraan, je hebt geen keus. Bij het postkantoor haalden we ze in, draaiden we ze de arm op de rug tot ze genade zouden roepen. Viola riep niet om genade, die maakte zich gewoon los en bleef met de rug tegen de muur staan. Lachend.

'Toe dan' zei ze.

Toe dan?

Ze spitste haar lippen omhoog, naar mij en ik antwoordde met een kus, dat ging zomaar... De eerste kus van mijn leven. En voorlopig ook de laatste. Dat was het. Meer wilde ze niet.

We brachten ze naar huis. Naar het Toevluchtsoord. Gearmd. Nee, niet gearmd, dat wilde ze niet. Stel je voor. Gaf niet. Ik voelde haar warmte. Ik had het visje van haar tong geproefd.

Over de Grote Markt lopend vroeg ze hoe laat het was, ze wilde niet te laat thuiskomen. Ik zei, dat kun je op de toren zien. Ja, zei ze en ik begreep dat ze niet klokkijken kon. Dat vergrootte het wonder.

De volgende morgen stapte ik weer over de gepoetste schoenen heen, als vanouds, zag haar aan het aanrecht, riep haar frivool een 'tot ziens' toe.

's Middags kwam ik thuis. Mijn moeder stond in de gang aan de telefoon, ik hoorde mijn naam en de woorden 'zijn hoofd op hol gebracht'. Daar was geen sprake van, bezwoer ik. Maar wát ik ook beweerde, Viola had 'alles verteld'. Alles eenvoudig aan mijn moeder verteld. Waarom? Ja, waarom.

De directrice van het Toevluchtsoord had het 'begrepen' en zou haar maatregelen treffen. Het meisje Viola werd 'teruggenomen' en we kregen weer een gewoon meisje, dat ik niet groette omdat ik haar niet zag, maar dat mij wist te vertellen dat Viola weer terug bij haar ouders was en in Heerenveen woonde.

Jaren later fietste ik 's, op weg naar Sneek, door Heerenveen en meende ik natuurlijk haar opeens te zien. Een mens staat wat dat betreft stil. En als ik tegenwoordig door Heerenveen rijd, wil de gedachte nog wel 's bovenkomen: hier woont ze dus.

Praeses

Op een gewone school heet hij voorzitter, maar op een gymnasium, het voorportaal immers van de universiteit, heet de voorzitter van de schoolclub 'praeses'.

Ik ben drie maanden lang praeses geweest. De slechtste in de historie van het Willem Lodewijkgymnasium, ook daarna hebben ze nooit meer zo'n slechte praeses gehad. En toch, aan de vooravond van het nieuwe schooljaar was mijn verkiezing *unaniem*. Er was geen twijfel: ik zou een fantastische praeses zijn. Zo een hadden ze nog nooit gehad.

Dat klopte. Toen ik de felicitaties in ontvangst had genomen en nog even, voor de grote vakantie begon, achter de katheder plaatsnam om mijn kiezers te bedanken, voelde ik (alsof ik op het topje van de Martinitoren stond) een ontzaglijke hoogtevrees, die ik overwon door maar weer gauw te gaan zitten.

Ik maakte die zomer een lange fietstocht die overschaduwd werd door het vooruitzicht straks, in september, achter de katheder te zullen staan, steeds maar het woord te moeten voeren; ik was bang dat mij daartoe de moed wel 's zou kunnen ontbreken. Zo trapte ik in mijn eentje door Gelderland en Twente, diep in gedachten en meer en meer ervan overtuigd, dat alleen de literatuur mij zou kunnen redden.

Want zo was mijn glorietocht begonnen. Ik zat in de vierde klas, haalde hoge cijfers, het enige jaar misschien dat ik tot de besten van de klas behoorde, zonder dat ik er nu erg hard voor werkte. Het was in de tijd dat ik Nietzsche begon te lezen, de filosoof met de hamer. Het was nog in de tijd dat ik alles wat ik las en wat mij beviel, meteen uit het hoofd kende. Dat vermogen heb ik, toen ik zelf aan het denken sloeg, bijna totaal verloren, maar in dat jaar kwam het mij nog heel goed uit filosofen uit het hoofd te kennen en aan te halen.

Immers, de genoemde schoolclub, Rhetorica ('Rhetorica, wij zij-ijn u-u trouw. Eendrachtig strijden wij voor u, wij willen u doen bloeien, wijl gij toch steeds het hoogste zijt, in onze gymnasiastentijd...'), Rhetorica was een reciteervereniging in de oude trant: we lazen elkaar voor, hetzij een verhaal ('proza'), hetzij een gedicht ('poëzie') en ook wel hield iemand een spreekbeurt ('memo') of speelde men als er een piano stond een sonate. Dit alles in de veilige beslotenheid van een huiskamer ('kring'); de vergaderingen vonden plaats in klasseverband. Gezeten bij iemand thuis in leunstoelen, de benen over elkaar geslagen, genoten wij van het gebodene. Daarna de pauze, het kopje thee en dan de discussie.

Het was tijdens deze avonden dat ik bloeide – het laatste jaar. Achteroverleunend in de fauteuil, het onderbeen horizontaal op de knie van het andere been, wist ik door te citeren uit Nietzsches *Zarathoestra* telkens weer de lachers op mijn hand te krijgen, want de Zarathoestra is een geestig boek. Die grappen gebruikte ik zoals een dirigent om te beginnen zijn stokje heft. Aandacht. De discussies zelf (over schoonheid, eeuwigheid, recht en verantwoordelijkheid) waren ernstig genoeg. Ik hoefde niet te interveniëren.

Zo leek ik de ideale voorzitter. Op zestienjarige leeftijd reeds erudiet. Totdat in september, bij de opening van het nieuwe schooljaar, het uur der waarheid was aangebroken. Een huiskamer met wat klasgenoten kon ik wel aan, maar zo'n grote zaal... Een honderdtal jongens en meisjes die zitten te wachten op wat je gaat zeggen. De angst kneep mijn keel dicht. Ik stond achter de katheder, de hamer in de hand om ermee te slaan, maar ik had al een paar keer geslagen, men was al stil en ik had niets meer te zeggen. Ik had de vergadering geopend met gebed, een haastige, pijnlijk korte bede, en met het voorlezen van een stuk uit de bijbel. Geen idee wat er nu verder gebeuren ging. Ik was geflankeerd door Erica ('abactis') en Reina ('fiscus'), twee energieke meisjes, die als vanzelf hun deel voor hun rekening namen. Ik kon even achterover in mijn voorzittersstoel zitten. De vergadering was een donkere tunnel waarin ik onbarmhartig voorwaarts werd gestuwd en elke keer stond ik weer achter de katheder, vorsend, de kin geheven, de zaal in te kijken met een hamer waarmee ik almaar klappen gaf, veel vaker dan nodig was.

Iedereen van het bestuur was ijverig en volop in de weer met van alles, behalve ik. Ik wilde wel meewerken, en aanpakken, maar dat was iets, zeiden de meisjes, wat een praeses niet hoorde te doen. Er waren kleine bestuursvergaderingen, die op één bil in de schoolbanken werden gehouden. Daar werd van alles beslist, ik keek van de een naar de ander, wist absoluut niet wat er gaande was.

Toen, in mijn totale verlatenheid, wierp ik mij op het toneelstuk. Ik hoorde dat niemand nog had nagedacht over de vraag welk toneelstuk op de Grote Avond zou worden opgevoerd, ook de meisjes niet. Die twee nijvere bijtjes – ze waren achterwaarts uit hun bloemen gekropen en keken mij aan, met hun donkere ogen: weet jij dan een mooi stuk?

Dat wist ik. Een groot deel van de zomer had ik toneelstukken gelezen, Aeschylus, Shakespeare, Schiller, Maeterlinck, Heijermans, Brecht, Anouilh... ze hoefden maar te kiezen. We kozen *La mort de Tintagiles*, een lange eenakter van Maeterlinck, in het Nederlands, en omdat er in dat stuk vijf personen voorkomen, waren er vijf kopieën, plus eentje voor de regisseur – zes kopieën nodig. Ik schreef met vellen carbonpapier het hele stuk twee keer met hard potlood over, blij dat ik het daar druk mee had.

Zo wist ik ook het probleem van mijn voorzitterschap op te lossen. Ik schreef een lange toespraak (wat ik natuurlijk veel eerder had moeten doen), een toespraak die misschien wel een halfuur zou duren, misschien wel langer. Een eenvoudige tik met de hamer, mijn hamer, en ik zou aan het woord zijn, zolang als ik het nodig vond.

Ik schreef een aantal toespraken over uit de Zarathoestra, uit werk van Marsman en uit de bijbel, verminkte de zinnen, die ik 'snoeide en besneed en maakte voor mijn dienst gereed'. Twintig vel vervoerende taal, die ik op de eerstvolgende Algemene Vergadering voorlas, nadat ik mijzelf met een tik van de hamer gemachtigd had. Ik kende de zinnen half uit het hoofd, zo vaak had ik de rede gelezen en verbeterd, er stond geen verkeerd woord meer in. Heidense taal was het die ik uitriep, vitalistisch, maar vooral: poëtisch. En waarover ging het? Over wie? Over hen die naar mij luisterden, doodstil waren ze ('Over hoe men toch te midden der velen verlaten kan zijn') en ik sprak ze aan met 'gij':

'Waarheen, o brandende ziel, in het branden van de straat, die opvlamt in het avondrood. Het ene is verlatenheid, het andere is eenzaamheid. Dat hebt gij nu geleerd. En dat gij onder de mensen altijd wild en vreemd zult wezen. Wild en vreemd, zelfs wanneer zij u liefhebben.

Daarom. Hier. In deze stad, laat hier zonlicht en eenzaamheid zijn en het vuur van een zuidelijk land, laat de liefde in uw harten slapen, ook als gij het laatste woord hebt gezegd en op de transen staat.

Nog schittert geen licht dat de toekomst ontvouwt, maar de tekenen zijn apocalyptisch klaar...'

Enzovoort, drie kwartier lang. Daarna gaf ik 'pauze' en ik werd gevierd als een koning.

Na de pauze gebeurde er weer iets dat ik totaal niet had voorzien en dat ik ook niet sturen kon: ik werd afgezet. Voor de grap. Spel. Vanuit de vergadering kwam er een motie die mijn aftreden eiste. Ik begreep er niets van, had geen weerwoord en ongeduldige Erica wapperde met de handen boven haar hoofd: 'Jongen, je moet aftreden, snap dat nou!'

Ik trad af. Moest ik de zaal verlaten? Ik moest de zaal verlaten en deed dat. En met mij deden dat, onverwacht, vele anderen die door mijn woord waren gesticht. Zeker de helft van de aanwezigen. Te midden van mijn getrouwen wachtte ik op en rond de trap naar de toiletten, christenen in de catacomben, Engelse burgers tijdens de bombardementen in hun Underground. We waren ernstig, we zwegen.

Binnen hoorde ik Edo ('assessor') het hoogste woord voeren, die was nu praeses.

Tot mijn opluchting kon ik een maand later echt van mijn post ontheven worden. Edo werd praeses, een baantje waar hij geknipt voor was, ik werd assessor, letterlijk: bijzitter. Ik zat er, achter die belangrijke tafel, voor spek en bonen bij. Dat deed ik als praeses ook al, maar nu zonder hamer. Fijn ontspannen en overtollig keek ik de zaal in. Tenslotte bedankte ik als lid, nog voor de Grote Avond was aangebroken.

Een romantische wandeling

Ik haastte me door de Tuinbouwstraat, op weg naar het huis van Hofstede. Ik was gespannen, maar niet zenuwachtig. Ik had een missie en besefte het belang ervan. Blij dat er eindelijk wat ging gebeuren met mij.

Nummer 101b. Na mijn aanbellen werd de deur opengetrokken. Ik ging naar binnen, sloot de deur, ging de trap op, ik kende het huis. Ik was de laatste, iedereen was al gezeten en voor mij moest er nog een stoel uit de keuken worden gehaald. Toen ik zat, groette ik iedereen door de kring rond te kijken – ik zag dat alles in orde was.

Gerard de Graaf opende de avond met wat algemene opmerkingen van zakelijke aard, en gaf het woord aan Ria. Ria sloeg het schrift met de harde kaft open en las de notulen van de laatste klassenavond voor. Saaie notulen schreef zij, er waren geen op- of aanmerkingen en Gerard tekende ze ter goedkeuring. Daarna gaf hij het woord aan Theo. Theo las een spannend verhaal over goudzoekers voor, waar ik niet naar luisterde. Daarna speelde Alma (punt 3 op de agenda) een sonate van Beethoven op de piano waar ik evenmin mijn aandacht bij kon houden, want als punt 4 stond ikzelf op het programma: poëzie.

Het gedicht dat ik voorlas was 'Potsdam', van H. Marsman. Een strijdbaar vers waarop niemand mij had geattendeerd, ik had het zelf gevonden:

Schrijden
goed soldaat zijn
trommelvuursein inniger beminnen
dan de schaduw van de blondste vrouw

schrijden

Ruimte
open orde
droge zandsteendoorsnee van het licht

weerstand
uitgeëffend
evenwicht

Hemel
breed bestek
sober overwogen
staalgewelven
glazen bogen
koepeldek

Smidse
hamerslagen
schrijden door de straat
harde vreugde
om de regelmaat
waarin hemel
tussen ruimtebreuken
staat

gele schuinte

grijsheid

koel quadraat

Ik vind het, op een enkele ongelukkige regel na, nog steeds een verblindend mooi gedicht: zo moet een man zich voelen die zijn individualiteit opgeeft voor een hogere orde, in dit geval de militaire.

Natuurlijk was ik zo naïef te geloven dat de anderen, nu ik ze het gedicht had voorgelezen, dezelfde beelden zagen en er op dezelfde wijze door waren vervoerd, maar ze zagen hooguit mij, denk ik, in mijn armzalige pogingen ze te laten delen in het geluk. De stelling dat ieder zijn eigen smaak heeft kan ik in zoverre weerspreken, dat ik en Marsman tenminste dezelfde smaak hadden; we hadden hetzelfde gezien, en gevoeld.

Wel kreeg ik flink commentaar op de regels 'trommelvuursein inniger beminnen / dan de schaduw van de blondste vrouw' – nadat ik die ter verduidelijking nog 's had voorgelezen. Het schieten met een mitrailleur of het sein daartoe liever dan... een vrouw? Of zelfs de schaduw van een vrouw? Of de schaduw van een blonde vrouw? Ja, zelfs de blondste? Wat doet het ertoe dat een vrouw blond is, als je een voorkeur voor haar schaduw hebt? Wat is dit voor onzin?

Dat is geen onzin, legde ik al hakkelend uit – want ik had er niet over nagedacht. En nadenkend, nu, moet ik erkennen dat het inderdaad onzin is wat er staat. Maar toen was ik nog niet zover dat ik dat meteen wilde inzien. Ik zette me ertoe de dichter te verdedigen en zoals gewoonlijk: als je geen doel treft, sla je door. Mijn exegese luidde dat het de taak van de man is te strijden. Zolang de strijd niet is gewonnen, is er geen plaats voor de vrouw en aangezien het hele leven een strijd is (voor de man, legde ik uit), is er in zijn leven voor de vrouw geen plaats.

Niemand die mij tegensprak. Laat maar lullen, dacht Hofstede en onze voorzitter dacht dat dit 'een mooi punt' was om de discussie te beëindigen. Ook ik vond dat het tijd werd de benen te strekken; men stond op en begaf zich naar het grote balkon, om te genieten van de zonsondergang.

Niet iedereen. Silvia keek naar mij met een blik die seinde: nu? Nu. We hadden afgesproken dat we er in de pauze tussenuit zouden knijpen, gingen in sprongen de trap af en verlieten het huis. 'Hierlangs' beet ik haar toe, want ik wilde niet vanaf het balkon gezien worden.

Lopend in oostelijke richting, naar het Noorderstation, sloeg ik meteen mijn rechterarm om haar middel, en zij deed min of meer hetzelfde, met haar linkerarm. Zo liepen we, al pratend, de stad uit.

Wat ons verbond was de correspondentie die plotseling tussen ons was opgebloeid. Brieven en briefjes die we elkaar toestaken tussen de lesuren door. Brieven waarboven Beste Gerrit, Beste Silvia stond en die vervolgens via Lieve Gerrit, Lieve Silvia, Liefste leidden tot de bijna gelijktijdige bekentenis dat we van elkaar hielden. Dit alles per brief – hoog tijd dat we elkaar 's spráken. Dat deden we nu, op de eenzame Winsumerstraatweg. De zon was ondergegaan, de nacht klom uit de volkstuintjes omhoog en wij liepen op een slechtverlichte klinkerweg te praten over wat mij toch had bezield, dat ik zulke militaristische taal had uitgeslagen. Schoonheid, was mijn antwoord. Maar voor dit soort keiharde uitspraken is een geest nodig die heeft geleerd het deel te onderscheiden van het geheel. En dat kon ik nog lang niet. Ik zag alles voor het eerst, in dat voorjaar, en Silvia zei terecht dat ik overdreef.

Silvia was bijna twintig en bewonderde mijn kennis. Maar mijn absolute opvattingen bewonderde ze niet, die schreef ze toe aan mijn leeftijd. Ik was twee jaar jonger dan zij, wat met zich meebracht dat ik mij daar niets van aantrok. Maar het was beter geweest als ik dat wel had gedaan en meer naar haar geluisterd had en minder gepraat. We liepen daar maar, de armen om elkaars middel, de brug over, de nacht in. Wat zou het goed zijn geweest als ik, niet verblind door het woord, mij had herinnerd waaróm we daar liepen. Ze droeg de jurk die ik haar gevraagd had te dragen, een dunne, zwart-rood-grijs geblokte jurk, die prachtig om haar lichaam viel. Een stof, zacht en glad als voering. Mijn hand voelde, de hele avond, de draaiende beweging van haar heup, ofwel het bovenste van haar harde, wentelende rechterbil.

Dat ik haar had uitgenodigd voor deze nachtwandeling, met die jurk aan, een ruime boothals die vaak werkte als een decolleté, was om met haar te doen wat het daglicht en in het bijzonder mijn eigen blikken, vreesde ik, niet zouden kunnen verdragen. Het woord borsten durfde ik niet eens uit te spreken, bijna niet te denken zelfs, laat staan dat ik ze zou durven aanraken, zelfs niet van een meisje dat mij 'liefste' had genoemd – als zij mij niet vroeg daartoe over te gaan en zij vroeg het me niet. Het was zo nieuw, voor haar ook. We liepen voort, in het donker, helemaal naar Dorkwerd en langs de overkant van het kanaal weer terug én maar praten.

'Dus je denkt dat al die miljoenen mensen in het verleden, in de Middeleeuwen, dat die allemaal voor niets in God hebben geloofd?'

'Ja' was mijn genadeloze antwoord.

'Dat kan niet. Dat kan niet waar zijn!'

Langs het kanaal liepen we, langs koeien die ons nakeken in de nacht en die zij 'zulke schatten' noemde en al die tijd 'gebeurde' er niets. Want wat er gebeuren moest was, in mijn ogen, zó brutaal, dat ik, ook al liepen we met de armen om elkaars middel, mijn handen thuishield – almaar. Wat jammer dat ik het niet durfde. En dat zij het niet durfde, zij was per slot de oudste.

Ik bracht haar 'thuis' – zoals een jongeman, galant, dat hoort te doen. We gaven elkaar een kus, op de wang. Met schaamte en spijt – van die nachtelijke uren langs het water die wij niet hadden benut. Wat een verspilde avond!

We hielden niet langer van elkaar. Onze briefwisseling, zo bleek de volgende dagen, was tot een einde gekomen. Ik moet een man van niets geweest zijn, in haar ogen. Evenmin had het zin voor mij, langer een soldaat van Potsdam te zijn.

Een week later kreeg ik van haar in het voorbijgaan een brief op mijn bank gelegd, 'Beste Gerrit' – waarin ze me bedankte voor 'de mooie, romantische wandeling' en voor mijn goede gedrag: dat er 'niets gebeurd' was. Zo kreeg ik een pluim waar ik die niet verdiende. Als er iets 'gebeurd' was (hoe weinig ook), wie weet waren we wel van elkaar gaan houden.

Aan de machine

De zomers in de stad zijn regenachtig. De straten zijn nat en leeg. De scholen zijn gesloten, men is met vakantie en de trolleybus die tien minuten op passagiers heeft staan wachten, rijdt weg met een enkele oude vrouw, vlak achter de bestuurder gezeten.

Het was de lange zomer van 1953, dat ik elke ochtend om kwart voor zeven dwars over de Grote Markt zuidwaarts fietste, trommeltje brood onder de snelbinder. Om zeven uur precies stond ik aan de boor. Machinefabriek De Waal, Helpman. Het was een gewone werkplaats. Er stonden machines, maar er werden geen machines gemaakt. Cirkelvormige platen ter grootte van een pizza werden volgens het patroon van een regelmatige zeshoek van gaten voorzien. Daartoe trok ik een hefboom naar beneden tot de boor al draaiend in een wolk van scherpe, glinsterende krullen door het ijzer geschoten was, dan trok ik hem weer terug omhoog. Het boorproces werd begeleid door het scheutsgewijs toegieten van water uit een conservenblikje. Ik was niet alleen. Je had daar Bosma, die de hele dag stond te lassen en Dekker, die aan de freesmachine stond.

We maakten wielen. Waartoe of waarvoor weet ik niet. Het idee was dat ze, eenmaal gelast, gefreesd en geverfd, zouden worden voorzien van vliegtuigbanden. Afgekeurde vliegtuigbanden wel te verstaan, te slecht voor vliegtuigen, maar goed genoeg voor op de weg, voor kar of aanhangwagen – wat mij nu wat vreemd voorkomt, want de wielen die wij maakten waren bijna bolvormig, net zo breed als hoog en ik heb nooit een kar of aanhangwagen gezien met zulke monsterlijke wielen.

In het kantoortje, aan de straat, werkte de directeur, die De Waal genoemd werd. Hij werkte hard, belde veel en had voor het wonderlijke product dat hij in elkaar zette blijkbaar afnemers. Hij liet zich nooit zien, behalve 's zaterdagsochtends om vijf voor twaalf als hij ons het loonzakje bracht.

De derde week kwam ik aan de snijbrander. Sneed ik uit een grote ijzeren plaat die op schragen was gelegd de ene cirkel na de andere. Met de juiste snelheid. Ging ik te snel, dan sneed ik niet, ging ik te langzaam, dan produceerde ik hete ijzeren druppels die op de vloer vielen en soms op mijn schoenen.

Tussen de middag zaten we een halfuur in de zon, tegen een muur (of als het regende onder een afdakje) te praten over van alles, maar het meest over sport. Tour de France. Fausto Coppi. Over voetballen – GVAV, Be Quick en Velo – zelden zonder stemverheffing want Dekker en Bosma waren niet van dezelfde club. Voor welke club ik was? GVAV, zei ik. Waarom? Vanwege de blauwe kleur. Vond ik mooier dan het geel-rood van Be Quick of het groen van Velocitas. Alsof ik mijn verstand verloren had, zo keken ze me aan en ik voegde er daarom snel aan toe dat ik afgelopen zaterdag naar het Stadspark was geweest, de waterpolowedstrijd tegen Spanje had gezien en dat was goed, want daar was Dekker ook geweest. Twaalf nul voor Nederland.

'Goddegod,' zei Dekker, 'Van Feggeln mit zien laange aarms. 'k Heb nog noeit zo laagn doan.'

Nog nooit zo gelachen. Had ik dus ook gezien. Was ik wel blij om, in dit verband. Verder vonden ze dat ik maar op een rare school zat. Ik had er tegenover Bosma al wel 's noodgedwongen iets over losgelaten (Plato, Homerus) en die vertelde het nu aan Dekker: 'Dij jong leest boukn van dreidoezend joar leedn.' Dekker moest er om grinniken, maar aan de andere kant... 'Hou laanger in de bankn, hou dikker strakjes in de centn.'

Ik kon het ook niet helpen en deed 's middags extra mijn best met de acetyleenbrander. De ronde uitgesneden platen rolden brandend over mijn voeten en ik voelde ze niet.

Ik las niet alleen Plato en Homerus, maar vooral ook Trakl en Stramm. Oorlogspoëzie van 1914. Ik fietste aan het eind van de middag, na gedane arbeid, door de stad, door de straten, lege straten bij voorkeur: Jonkersgang, Nieuweweg, Bloemstraat, Bleekerstraat, Tuinbouwstraat, het sombere Noorderplantsoen – om alleen te zijn met de regels: 'Am

Abend tönen die herbstlichen Wälder / von tödlichen Waffen...' Ik had Marinetti's futuristische manifest gelezen, dat de toekomst verheerlijkte, de strijd, de snelheid, het gevaar en het was net of het voor mij geschreven was. Een mens legt geestelijk min of meer dezelfde weg af als zijn geestelijke voorgangers en ik had er op mijn hoge zwarte fiets, in die stille vredige straten, geen enkele moeite mee in dit oude manifest, uit 1909, een rechtvaardiging van de Eerste Wereldoorlog te zien.

Het is interessant om te proberen te begrijpen waarom in 1953 een negentienjarige jongen naar oorlog verlangt. Ik lees in de autobiografie van Sjostakovitsj hoe hij in 1941 de oorlog met Duitsland begroette als een verlossing: 'Eindelijk de jarenlange angst en stilte verbroken, eindelijk kon je weer praten en zeggen wat je voelde.' Had ik deze woorden tóén gelezen, dan had ik dat opgevat als bijval voor de absurd romantische gedachte dat het beter is als jonge man te sneuvelen dan gewoon als een oude man te sterven zonder ooit 'gestreden' te hebben.

Na drie weken aan de machines te hebben gestaan, ging ik van het verdiende geld op vakantie. Ik bracht een week op Terschelling door. De zon scheen, de meisjes renden langs de waterlijn met de bedoeling gepakt te worden en ik pakte ze, bij de lurven. En liet ze weer los. Nietwaar? Wat moet je verder met ze. 's Avonds zag ik ze terug. Zat ik met diezelfde meisjes rond het kampvuur, te praten met Duitse studenten over 'die Wirklichkeit' – om te ontdekken hoe jong ze waren, die meisjes, veel te jong voor ons. 'Die Wirklichkeit zerschleudert' zei ik, niet zonder dreiging. 'Wer nie im Trommelfeuer lag / weisst nicht was Nächstenliebe tut' – wat de meisjes op de lachspieren werkte. De Duitse studenten trouwens ook. Maar ik was blij dat ik aanspraak had.

Thuisgekomen, twee dagen eerder dan verwacht, hoorde ik dat De Waal had gebeld: of ik ook de rest van mijn vakantie voor hem zou kunnen werken. Kijk 's aan. Die kon niet meer zonder mij. Ik belde hem op, vroeg opslag, omdat twintig gulden per week niet veel is. Vijfentwintig gulden vroeg ik. Ik kreeg het niet en zei oké. Maandagochtend zeven uur stond ik weer aan de machine. Opnieuw acht uur per dag boren en snijden in ijzer. Ik leefde in 1914. En tegelijk in de toekomst van een Duits futurisme. Verbeeldde me te werken in de oorlogsindustrie. Graag! Ik wou het wel voor niets.

Dienstplichtig soldaat

Ik weet niet waarom ik mij inspande een 'goed soldaat' te zijn. Om dezelfde reden denk ik als waarom ik op school mij inspande goed te zijn met sport, met gymnastiek. De straffe exercities appelleerden aan mijn gevoel voor orde. Ik hield van de *figuur*: een korte gedrongen groep die, unisono, links uit de flank marcheerde en twee tellen later rechts uit de flank zoals je een liniaal schuift over de tekentafel: evenwijdig aan zichzelf. Ik genoot ook van het mechanisme van bevel en uitvoering, liefst met zware bepakking, liefst in een felle zon, liefst volmaakt.

Het wonderlijke was: ik kon er niets van. Maar dat wist ik niet. We marcheerden en exerceerden op het parkeerterrein, naast het hoofdgebouw en op een ochtend stond daar, op een treeplank van een vrachtwagen, vijftig centimeter verhoogd, kapitein U., die ons deze exercitie afnam. Het was luitenant M. die de bevelen gaf, wij voerden ze uit en kapitein U. keek toe – tot hij mijn naam riep, met de toevoeging dat ik g.v.d. moest ophouden de boel te verzieken.

Ik deed mijn best en na dit commentaar deed ik nog meer mijn best, mijn uiterste best zelfs, maar na een tijdje werd ons peloton ter zijde genomen, zoals een racewagen die panne heeft de berm inrijdt. Kapitein U. kwam naar beneden, liep op mij toe en herhaalde met scherpe militaire stem zijn vraag: waarom ik de oefening probeerde te verzieken.

Ik verziekte de oefening niet, bij mijn weten. Ik was de langste van het peloton, 'rechtervoorman' – de man naar wie het hele peloton zich richt als het zich opstelt voor een appèl of voor het hijsen van de vlag. Ik zei – maar ik hoefde niets te zeggen, luitenant M. deed het al voor mij, met de woorden dat ook hem mijn 'deviant gedrag' niet was ontgaan. Na enig beraad werd ons peloton gereorganiseerd in die zin dat ik niet langer rechtervoorman was, en zelfs niet in het eerste rot maar in het tweede werd opgesteld. Een peloton telt negen rotten van drie man elk. We vervolgden onze exercitie en ik liep in het tweede rot, als nummer 2, zodat ik aan alle kanten was ingesloten en met mijn blijkbaar afwijkende opvatting de anderen niet langer in verlegenheid bracht.

Dit alles vond plaats in de eerste week en mijn kamergenoten zagen in dit wat vermakelijke incident een aanleiding mij 'de kameel' te noemen of, nog leuker, 'Krol kameel', maar daar kwam snel een einde aan. Het geval wilde dat we twee dagen daarna deelnamen aan militaire sportwedstrijden in Gilze-Rijen, waar we in geblindeerde bussen heen werden vervoerd, en dat ik daar de tweede prijs hoogspringen won, een medaille. De enige medaille van onze compagnie en van kamelen was sindsdien geen sprake meer.

Exerceren dus, maar wat de soldaat pas tot een soldaat maakt, natuurlijk, is het geweer, met bajonet. Er was ons een P14 uitgereikt, een geweer dat goede diensten had bewezen in de Eerste Wereldoorlog, vandaar de naam. We leerden van velden en trekken – de spiraal in het binnenste van de loop die de afgeschoten kogel zijn balans geeft. Je kon deze spiraal ook zien zitten als je in de loop keek en behalve schieten met losse flodders op het namaak-schietbaantje achter de garages, was het onze taak de loop zo schoon mogelijk te houden. Trouwens, alles aan de man, schoenen, koppel, knopen, moest voortdurend worden gepoetst. Leuk, nutteloos werk waarbij je fijn aan andere dingen kon denken. Ik hoorde niet tot de hap die klaagde over de 'zinloosheid van de dienst'. Natuurlijk is die zinloos, maar daar klaag je niet over.

's Avonds zat ik meestal in de kantine, met een paar andere rekruten – de rest zat in de filmzaal en daarom was de kantine wel zo aangenaam. Voor mijn gevoel was ik al maanden in dienst en toch waren er nog geen twee weken voorbij. We mochten niet naar huis, niet de poort uit en droegen het kraagje dicht. Lazen de krant. Of speelden piano.

We hadden nog een veldloop. Dat moet ook in die tweede week geweest zijn, want een paar dagen later werden we overgeplaatst naar Amersfoort. Om zeven uur 's morgens, zonder gegeten te hebben, zwenkten we dravend in sporttenue de poort uit, de hele rekrutencompagnie, 108 man sterk. We renden de Groesbeekseweg op, richting stad. Als ik toen geweten had dat we een uur lang zouden draven, was ik meteen dood neergevallen. Langs de Waal ging het, fluitend van pijn, allengs. Ik had geen adem meer, alleen hete lucht. Een Stirlingmotor loopt op hete lucht en vlak voor mij loopt een zekere Vleghert, vliegend hert, die met horten en stoten het Wilhelmus zingt om de moed erin te houden. De kazernehekken komen in schokken naderbij, de open poort gaat aan onze neus voorbij, want we moeten nog éénmaal het hele terrein rond...

Ik lig op mijn bed, happend naar lucht en kom weer overeind, ik kán niet liggen en hang gearmd aan de spijlen van de stapelbedden. De eerste maten staan al zingend onder de douche en ik kan geen woord uitbrengen – ik sta te hijgen tot ik weer praten kan en ik vraag hoeveel er uitgevallen zijn. Niet één, godverdomme.

Hersteld, zit ik weer in de kantine, aan een kop koffie. Aan de piano zit Vleghert. Hij speelt dat het een aard heeft, hij speelt prachtig. Zijn lange handen slaan als vleugels door de lucht. Ze treffen de toetsen met klappen die hard aankomen en verrijzen dan met hangende, haast druipende vingers die zich vervolgens, neergedaald, over het klavier verspreiden als room... De Waldsteinsonate, het laatste deel, ik herken het. Hij speelt alles uit zijn hoofd, naar de toetsen kijkt hij niet eens. Hij kijkt omhoog, naar de wolken, schudt met zijn hoofd alsof hij zijn eigen spel niet goed vindt en afkeurt, de ogen gesloten en ik zie dat hij huilt. De tranen stromen hem over de wangen.

Ik sla de krant op, de *Maasbode*, en krijg de sportuitslagen onder ogen zoals een Australiër de wereld zal bekijken: op z'n kop. Want NEC, Willem II, MVV – al die zuidelijke clubs staan met de grootste koppen aangeduid, terwijl GVAV, Be Quick en Oosterparkers onderaan de pagina, klein als vanaf de horizon naar mij staan te roepen: wij zijn hier! Wat mij een wonderlijk gevoel geeft. Heimwee is het niet. Het is meer: afscheid en de gevoelens die daarmee gepaard gaan. Vliegend Hert zit jankend achter de piano en ik zit niet-jankend achter een vreemde krant de vijf regels van de wedstrijd GVAV-Veendam te spellen. De laatste jaren geen sportbericht meer onder ogen gehad en nu lees ik ze. Ik lees van een verkeersongeluk op de Friese Straatweg tussen Visvliet en Grijpskerk en ik ben ontroerd. Niet door de 'vier doden', want die ken ik niet, maar omdat het in het Noorden heeft plaatsgevonden en ik de Straatweg ken. Omdat ik, net als Vliegend Hert, voel hoe ver weg het verleden al is – na nog geen tien dagen.

III

Dr. A.

Of hij een goede leraar was waag ik te betwijfelen – op gronden die ik zo meteen zal aanvoeren, maar een populaire leraar was hij wel. Hij zorgde ervoor dat de saaie lessen werden afgewisseld met de nodige 'excursies', dan weer naar de stadsgrachten van Appingedam, dan weer naar Veenklooster inclusief een bezoek aan de melkfabriek van Kollum, of de aardappelmeelfabriek van Avebe in Veendam, een scheepswerf in Hoogezand, de pianofabriek van Albert Hahn in Tynaarlo of een wandeling, op loopplanken, over de stoffige gewelven van de Martinikerk.

Aan het einde van elk schooljaar nam dr. A. het op zich een stoet van tweehonderd leerlingen plus de leraren door Groningse, Friese of Drentse dreven te leiden, hier en daar geassisteerd door autobussen van de GADO, ESA, EDS, DAM of de Marnedienst. Of de trein. De Menckemaborg in Uithuizen bezochten we vanuit de stad met de trein – van welke tocht ik me als hoogtepunt herinner het oponthoud te midden van de blauwgrijze akkers, dat zolang aanhield dat we ten langen leste de deuren openden en uit de trein sprongen, om ons heen keken in niemandsland, over de rails van de trein wegliepen, over hekken klommen. Tot met een fel stoomsignaal van de locomotief de trein zich weer in beweging zette – toen was het rennen geblazen en lukte het ons nog net de trein in te halen en op de treeplanken te springen.

Van die excursies, toch betrekkelijk eenvoudige reisjes, is mij meer bijgebleven dan van al die dagen, maanden en jaren doorgebracht op de schoolbanken. Wat men op de schoolbanken leert leert men voor het leven, zoals het Latijnse spreekwoord zegt, maar het is een soort leven dat zich in stand houdt door een eigen woordgebruik, waardoor kennis van zaken minder hoog wordt gewaardeerd dan kennis van kennis. Immers, hoe abstracter iemands woordgebruik, des te hoger wordt zijn kennis aangeslagen en die abstracte taal leer je op school. Daarom staat 'een dag op school' officieel hoger gewaardeerd dan 'een dag in het veld' en nadat dr. A. eenmaal met pensioen was gegaan, zijn z'n excursies en jaarlijkse schoolreisjes ook meteen stopgezet.

Misschien ook herinner ik me die uitstapjes daarom zo goed omdat ik het meeste van wat ik te zien kreeg 'al wist'. Ik was geabonneerd op *Met open oog en oor, verkenningen in Nederland*, van Kees Hana. Elke maand kreeg ik daarvan een aflevering in de bus. De boekjes *Zwerven door Groningen* en *Zwerven door Drenthe*, van mijn eigen geld gekocht, had ik gespeld. Ik was in het bezit van de Kompas zakatlas (elke provincie een uitslaand blaadje, waarop elke centimeter vier kilometer was, met op de achterzijde de 'bezienswaardigheden'). Geen dorp of vlek of ik wist het te liggen, uit het hoofd. Van de dorpen Dorkwerd en Adorp had ik (waar niemand om vroeg) plattegronden getekend. Daarnaast hield ik een klein archief bij van krantenartikelen over vreemde landen en meteorologie die ik interessant had gevonden. Ik had een 'afstandsmeter' geconstrueerd, waarmee ik de hoogte van een door mij waargenomen berg, boom of toren kon meten (het was dus meer een hoogtemeter).

Dr. A.'s lessen waren eenvoudig. Het aardrijkskundelokaal was gebouwd met naar achteren oplopende bankenrijen. Het had zes schoolborden waarvan er vier uitklapbaar waren. Kwamen we met onze aardrijkskundeboeken en -schriften het lokaal binnen, dan stond er doorgaans al een in perfect schoonschrift geschreven les op het bord – die we dienden over te schrijven. Het aardrijkskundeboek (*De wereld en die daarin wonen*, naar psalm 104) werd niet gebruikt. Wat vreemd was, want dr. A. was de auteur ervan. Alles wat wij moesten weten stond twee à drie keer per week op het bord geschreven, de tekeningen in kleur en omdat dr. A. mooier schreef dan tekende, beijverde ik mij zijn figuren te verfraaien en, waar nodig, te verbeteren.

Aardrijkskunde was dus zonder meer mijn favoriete vak. Voor proefwerken haalde ik zelden een acht, meestal een negen of tien. Omdat ik alles wist. Teleurstellend was het daarom dat ik op het rapport nooit hoger dan een zeven kreeg. Dat ik voor mijn beste vak maar een zeven kreeg schreef ik aanvankelijk toe aan het feit dat het zo'n *gemakkelijk* vak was. Het was geen Latijn of wiskunde, waar je een tien voor kon halen, maar ook een één. Nee, mijn zeven voor aardrijkskunde moest je vertalen in een tien.

Maar wat ik vervolgens niet begreep was dat sommigen van mijn klasgenoten, die niet zoveel van dit vak afwisten als ik – een negen op hun rapport hadden. Het kwam niet in mij op daartegen te protesteren. Ik nam heel makkelijk aan dat dit puntenverschil, als zoveel in de wereld, van God gewild was – niet wetende hoe dicht ik bij de waarheid was.

Aan het einde van het eerste schooljaar las onze gewaardeerde reisleider ons de lijst rapportcijfers voor. Ik had, met mijn tienen voor de proefwerken, de gebruikelijke zeven. Er waren weer de gebruikelijke negens toegekend en toen doorzag ik het systeem. Door dr. A. werd een negen toegekend aan hen die het voorrecht hadden zoon of dochter van een gereformeerde dominee, een 'kind van de Doleantie' te zijn. Dat cijfer was om zo te zeggen erfelijk. Dat was interessant. Met hun negen kwalificeerden mijn uitverkoren klasgenoten zich automatisch als het superieure soort leerling dat inderdaad ook een negen verdiende. Ik kon er niets anders tegen inbrengen dan toegeven dat ik niet de zoon van een 'dolerende' dominee was.

Het was nog veel erger. Tijdens de behandeling van Het Heilige Land, dat we altijd Palestina hadden genoemd maar dat nu opeens de bijbelse naam Israël droeg, werd de oudtestamentisch getinte exegese alsof het een gril was onderbroken door een enquête waarin ons werd gevraagd bij welke dominee wij catechisatie liepen. Men noemde, ieder op zijn beurt, de naam van de desbetreffende dominee, die door dr. A. met een glimlach van herkenning werd genoteerd. Ik zat achteraan, ik was het laatst aan de beurt. Mijn buurman had mij vanachter zijn hand toevertrouwd dat hij 'niet eens gedoopt' was; dat gaf mij toen ik aan de beurt was de kracht te antwoorden dat ik, ofschoon gedoopt, geen catechisatie liep. Het werd genoteerd. Ik was bang voor een onvoldoende op het rapport, maar ik kreeg weer gewoon de zeven van altijd.

Heden ten dage zou zo'n onverschillige uit de lucht gegrepen beoordeling een reden zijn je beklag te doen. Toen niet. Vlak na de oorlog stond de dagelijkse ethiek nog in het teken van de flinkheid. Met klagen bekende en bevestigde je je niet gewenste positie. Ging ik zeuren om een negen? Ik keek wel uit. Liever een zeven op eigen kracht, dan een negen omdat je het zoontje was van een dominee. Liever een zeven tegen de stroom in dan een negen met de stroom mee.

Dr. A. kwam ik ruim een jaar later nog 's tegen, in de Ebbingestraat. Op een winteravond, toen wij toevallig voor dezelfde etalage kwamen te staan, die van boekhandel Paalman. Hij keek naar mij en ik keek naar hem. Ik groette hem niet, hij was een vreemde voor mij. En ik zag dat hij dacht, ik ken deze jongeman, maar als het een oudleerling van mij was, zou hij me zeker hebben gegroet...

Hij lichtte zijn hoed en vervolgde zijn wandeling.

Gymnastiek

Elke keer die verwachting. Aangetreden op volgorde van lengte, rechtstaan. Alsof je met je schedel het plafond wilt raken – dan pas sta je recht. Rechtsomdraai en... mars. En dan, stap stap, als circuspaarden rondjes lopen, het vierkante gymnastieklokaal rond, en vervolgens in looppas. De verwachting: wordt het ringen, wordt het grondoefeningen, handstand, paard, wandrekken, trefbal, hoogspringen of de totale mobilisatie van het gekkenhuis dat apenkooien heet?

Gymnastiek was het enige vak waarin ik altijd zin had, een uur vrijheid, een soort luchten. Een vak zonder huiswerk waar je ook nog een cijfer voor kreeg, waarom weet ik niet, want het was elke keer hetzelfde cijfer.

Er gold een stelling dat wie goed kon leren niet goed was in gymnastiek, maar daarop telde ik de nodige uitzonderingen, zij het ook weer niet zoveel dat die stelling niet gold. En wat is goed. Als ik Kees (hoge cijfers) Klapwijk zag hollen, dan zag ik een verwoede bokser die nauwelijks vooruitkwam. Hij had een zes voor gymnastiek. Ik een acht, alle jaren door. Maar als ik de touwen in probeerde te klimmen, dan zag iedereen een spartelende kikker die geen centimeter omhoogkwam. Dat ik een acht had, dankte ik aan mijn lenigheid. Ik was vlug en lenig. Ik kon mijn beide benen in mijn nek leggen. Ik kon op mijn knieën lopen, als op negatieve stelten. Ik kon, op mijn knieën achterover, mijn schouders op de grond krijgen. Ik kon in perfecte lotuszit een boek lezen (waardoor ik ook wel Ghandi werd genoemd) en nog wat kunstjes, die een keer werden aangeduid als typisch 'vrouwelijk' – wat niet de bedoeling was. Maar zo had iedereen zijn sterke en zijn zwakke kanten. De Leeuw kon touwklimmend in drie slagen het plafond bereiken, maar hoogspringen... nog geen halve meter. Vrieling was onverwacht goed op het paard en omdat ik hem verder niet kende aangezien hij in de parallelklas zat, dacht ik altijd als ik hem zag: paard.

Op gymnastiek ben je, jongens onder elkaar, gereduceerd tot je lichaam. De meesten droegen een hemd, sommigen prefereerden een ontbloot bovenlijf. Zoals ik. Ik vond dat natuurlijker. Totdat ik bij mezelf borstvorming ontdekte; vanaf dat moment droeg ik een hemd. Jongens op hun veertiende, vijftiende jaar vertonen rond de tepels een zekere welving die daarna weer verdwijnt. Maar het hemd bleef aan.

Timmer heette hij, de gymnastiekleraar. Ik mocht hem wel

en hij mij ook. Het marcheren van ons reguleerde hij met het tikken van de stok op de grond, hij floot daarbij wel 's een mars. Overgegaan op draven werden we door andere middelen in toom gehouden en niet zelden liet hij mij, uitgerekend mij, voordoen hoe er gedraafd moest worden. Ik was, in de ogen van Timmer, de ideale draver. (Waar ik weinig van begrijp, want later kon ik er niets meer van, maar toen, rond mijn veertiende, had ik mijn lichamelijke bloeitijd.) Sierlijk, 'als een Lipizzaner' (het waren zijn woorden) draafde ik de zaal in het rond terwijl de anderen stonden toe te kijken en konden zien hoe het moest. Ook was ik in Timmers ogen een ideale hoogspringer ('stevige lange benen, lichte bovenbouw'). Zoals gezegd, kort daarna verloor ik mijn sierlijkheid. Maar toen kreeg ik weer andere kwaliteiten. In minder dan een jaar tijd schoot ik uit tot een bijna twee meter lange slungel c.q. slorm, c.q. sliert. Al dit soort woorden zijn mij toegeworpen. Krom, gebrild en uitermate onaantrekkelijk, putte ik mijn zelfvertrouwen voortaan uit het idee dat ik niet mooi hóéfde te zijn. Ik niet. Vrouwen moesten mooi zijn, mannen lelijk – dat was axioma nummer 1 en ik wist, toen al, dat ik met een mooie vrouw zou trouwen.

En in gymnastiek bleef ik goed. Met trefbal bijvoorbeeld was ik snel als geen ander. Ik kon natuurlijk overal bij. Met mijn lange armen haalde ik elke bal naar mij toe en als iemand een kogel op mij afvuurde, dan wierp ik mij ter aarde, ik kon ontzettend goed vallen. Lag ik op de grond, platter dan een krant. Ik was nagenoeg niet te raken.

Voetballen deden we natuurlijk buiten. Alhoewel ook weer niet zo vaak. Misschien maar één keer, maar juist die ene keer herinner ik me. Achter de Bonte Brug, aan het Winschoterdiep. Wij, klas 3a en b tegen klas 4a en b. We waren net een halfuur bezig toen we bezoek kregen van 'onze' vrouwen en dat bezittelijk voornaamwoord duidde niet op bezit, maar op solidariteit. Toevallig ging net de zon schijnen. De manier waarop ze eraan kwamen lopen, lachend, volks. Zoals de Velocitasmeisjes hun mannen toejuichten, zo kwamen onze vrouwen ons aanmoedigen.

Ik stond in het doel en ik ging Reina, ja vooral mooie Reina, nu laten zien hoe je een bal het veld in trapt. Uit de hand. Na een ferme aanloop en een trap zeilde de bal echter een totaal verkeerde kant op, het veldje af, de sloot in. Maar Reina was lief. 'Je bent niet voor keeper in de wieg gelegd, Gerrit!' riep ze me lachend toe en dat was heerlijk. Dat ze me nu opeens Gerrit noemde, want op school noemde ze me altijd Krol.

In de hogere klassen werd er meer gevolleybald. Klas tegen klas, jongens, maar ook de meisjes en daar mochten wij naar kijken – voor het eerst van ons leven. Konden we eindelijk 's goed zien hoe ze eruitzagen, qua figuur. Niet alle meisjes deden mee, wist ik. Twee waren er (niet in onze klas, maar in de parallelklas) die nooit meededen en ik begreep waarom. Als de meisjes naar het gymnastieklokaal holden, gingen die twee naar het overblijflokaal om hun huiswerk te maken. Ze waren niet geschikt voor gymnastiek, eenvoudig omdat ze 'te dikke titten' hadden. Ook voor volleybal – ze deden niet mee en dat was jammer, want daar had ik mij heel wat bij voorgesteld. Dát had ik wel 's willen zien.

Het hoogtepunt was het einde van het schooljaar, de sportdag in het Stadspark, onder leiding van Timmer. Hoogtepunt, zelfs letterlijk, omdat ik daar aan iedereen kon laten zien hoe goed ik in hoogspringen was.

Vogels

Het was de week na kerst, dat ik op straat rondhing en mij verveelde. Ik vond dat het tijd werd weer 's een club op te richten. Het was druilerig weer en net toen ik overwoog naar binnen te gaan, kwam Van Zuilingen aanlopen. Hij was op weg naar mij – wat niet verwonderlijk was, we speelden veel samen. We waren bijna even oud, we zaten op dezelfde school, alleen hij zat een klas hoger, hij kon 'goed leren'. Mijn vader noemde hem een 'arrogante vlerk'; volgens mijn moeder had hij 'een bek als een scheermes'. Hij was iedereen de baas en presteerde het zelfs, als wij weer 's bekeurd werden, politieagenten te kapittelen op hun uitspraak van het Nederlands.

Ik kon het goed met hem vinden. We liepen altijd samen naar school en weer naar huis. Zijn voornaamste deugd was trouw, al gebruikte ik toen die woorden niet, ik voelde het. Hij was er altijd.

En nu, op deze natte winterdag, kwam hij op mij toe, grijnsde, vroeg hoe ik het maakte en vertelde dat hij onderweg had lopen nadenken en vond dat we maar weer 's een club moesten oprichten.

Nou, daar dacht ik dus precies zo over.

Ja, hij was op het idee gekomen door een vogelboek dat hij van Sinterklaas had gekregen en weer was ik verrast: ik had óók een goochelboek gekregen.

Van Zuilingen glimlachte: niet een goochelboek, maar een vóógelboek en het zou dus een vogelclub worden en niet een goochelclub.

We waren er wel aan toe. 's Middags al liepen we samen met mijn broertjes en zijn broertje (die we 'de kreuden' noemden), met z'n vijven naar Paddepoel – Van Zuilingen en ik met de armen om elkaars schouder, dikke vrienden. Die middag zagen wij (het eerste resultaat van onze club) een reiger vliegen en Van Zuilingen wist te vertellen hoe je een reiger in zijn vlucht onderscheiden kon van een ooievaar.

'Ooievaars zijn er niet meer' meende ik te weten. Ik had een bloknootje bij me, met een stukje potlood dat in een lusje stak.

Ik probeer bij dit soort herinneringen altijd uit te vinden

hoe oud we waren. Ik zat in de eerste klas van het gymnasium, moet dus twaalf geweest zijn. De kreuden waren acht of negen. We gingen een dagboek bijhouden, een verslag van onze ontdekkingen in de natuur. In de notulen werd opgetekend wat we elke keer hadden gezien of gevonden (verlaten vogelnesten). De vergaderingen vonden plaats in het afgekeurde, vochtige kamertje bij ons achter de keuken. Op de deur had ik een kartonnetje bevestigd: DE JONGE ZWERVERS, van letters geknipt uit de krant.

Bijna elke zaterdagmiddag gingen we op pad. Ik 'zag' zelden wat, moest ik bekennen en niet dan nadat anderen mij het vluchtende dier hadden aangewezen of de vogel hadden zien opvliegen. Wel herinner ik me een zinsnede die Van Zuilingen formuleerde: '...vloog heen, ons gissend achterlatend'. Onbegrijpelijk vond ik het dat iemand van die leeftijd (mijn leeftijd!) zo'n zin kon schrijven. Mooier dan welke vogel ook.

Want eerlijk gezegd, die vogels zelf konden mij gestolen worden. En de hele natuur erbij. Het dagboek dat ik bijhield vermeldde elke dag weer: 'Niets gevonden. Niets gezien.' In mijn eentje zag ik niets. Dat kwam ook door mijn ogen. Toen ik tot hilariteit van mijn broertjes een bril ging dragen, zo'n donkere hoornen bril, en zij mij 'brillejeude' konden noemen, zag ik wat ik altijd had gemist: ik zag scherp. Maar het schijnt dat het vermogen tot herkenning niet meer kan worden aangeleerd als men dat in zijn vroegste jaren heeft verzuimd.

Het waren, langs de sloten, naar het noorden, schrale wandelingen. Blauwzwarte regenwolken op de avondlijke horizon. We kwamen vaak pas in het donker thuis, moe, verkleumd, vooral de kreuden – de veters los, een snotneus – die hoefden overigens niets op te schrijven, hadden geen rapporterende functie.

Van Zuilingen en ik wisselden het voorzitterschap maandelijks af. Een half jaartje later werd ook Waterman lid, en Pastoor. Waterman rouleerde mee in het voorzitterschap, Pastoor niet. Want die zat op de mulo. Waterman zat op de HBS. Dit alles werd geregeld door Van Zuilingen. Zelf was ik nooit op het idee gekomen Pastoor uit te sluiten, maar het kon me ook niets schelen.

Het gebeurde in diezelfde tijd dat de vader van Van Zuilingen, meneer Van Zuilingen, professor werd. Professor in het Nederlands. Dat kwam mij wat vreemd voor, want zelf had ik het gevoel, na de nodige lessen in zinsontleding en spellingsoefeningen, die resulteerden in tienen voor dictees, wel ongeveer alles van mijn taal af te weten. Ik had het beter begrepen als meneer Van Zuilingen professor in het Frans of Duits was geworden. Maar mijn ontzag was er niet minder om. Ik weet niet langs welke weg het nieuws tot ons kwam. Misschien via de krant, al heb ik het niet gelezen. Mijn moeder vertelde het ons tijdens het avondeten als iets waar we voortaan rekening mee hadden te houden – ik in het bijzonder als ik 'daar' door 'Wim' thuis te spelen was gevraagd. Altijd met twee woorden spreken, zéker, maar nu diende ik, mocht hij het woord tot mij richten, met 'professor' te antwoorden. Ja professor. Nee professor.

Dat was 's avonds. De volgende morgen kwam Van Zuilingen langs, als altijd. We liepen naar school en ik vond niet dat ik als eerste het woord moest nemen. Maar Van Zuilingen zei ook niets. Hij had toch kunnen zeggen, mijn vader is professor geworden, maar dat zei hij niet. Dat wou hij niet zeggen. Hij wachtte op mij en toen (we waren al bij de Hunzestraat) feliciteerde ik hem, dat wil zeggen, ik deed dat op mijn manier.

'Schier voor je vader, hè?'

'Ja' zei hij.

Schier betekent fijn. Hij ontkende het dus niet. Hij zei niet, hoe bedoel je. Hij hechtte er wel degelijk gewicht aan en had er op lopen wachten.

In de daaropvolgende maanden werd Van Zuilingen sr.

('een arrogante kerel', volgens mijn vader) geprezen om zijn bescheidenheid. Het emaille naambordje op zijn deur waarop enkel 'Van Zuilingen' stond, werd *niet* vervangen door een bordje met 'Prof. dr.' en dat werd door de buurt gewaardeerd.

'Hij en ik' zei mijn vader 'hebben het getal 2 gemeen. Hij is gepromoveerd op de tweede naamval in de Middeleeuwen en ik geef les aan klas 2 van het Ulo.'

Dat vond bijna iedereen een goeie grap.

Van Zuilingen jr., 'Wim', verloor ik uit het oog. Ik raakte steeds meer op hem achter, bleef zelfs zitten. Hij haalde op school alleen maar negens en tienen ('zijn vader achterna'), kreeg op zijn vijftiende verkering en is later biologie gaan studeren. '...vloog heen, ons gissend achterlatend'. Zo liet hij mij achter met de vraag, gissend, waarom hij nooit schrijver geworden is.

Een foto van de Korreweg, in het prille voorjaar van 1949 schat ik, toont mij de spiegelende stilte van de wereld. In die stilte groeide ik op. Een grote brede weg – je kunt aan het verkeer zien hoe laat het is: tien voor half twee. Reeksen fietsers, op weg naar school en kantoor.

Het brede trottoir voor ons huis, de zwarte ijzeren hekken voor de tuintjes – elke dag dezelfde weg naar school. Als ik een schaap was geweest en de stad een weiland, zou je het spoor hebben gezien dat ik had uitgesleten – altijd dezelfde gang. Altijd op dezelfde plaats oversteken.

Er zat geen schot in mij.

Een paar jaar later ben ik nog 's bij Van Zuilingen over de vloer geweest, voor een boek. Deel VI van Van Deyssels *Verzameld Werk*. Eigenlijk een boek van zijn vader. Maar die zat boven te studeren, die heb ik niet ontmoet. Wel mevrouw Van Zuilingen ('een heel eenvoudige vrouw' volgens de buurt, 'een schat van een mens'). Naar aanleiding waarvan weet ik niet meer, maar zij vroeg mij wat ik wilde worden.

Het was of ze het aan mij zag. Ze was vol liefde en daarom durfde ik het tegen haar wel te zeggen, al wilde ik niet al mijn troeven meteen uitspelen en gebruikte ik precies het verkeerde woord.

'Cultuurdrager' zei ik en ik zag de deernis in haar ogen.

Sneeuw

Er is een foto van mij in de winter van 1950. Die foto heb ik zelf genomen. Er ligt een dik pak sneeuw. Ik sta tussen de zwarte elzen en het lijkt alsof ik nieuwsgierig de slootrand afkijk. Het is een zwartwitfoto in de ware zin van het woord: van mij is tegen de witte achtergrond niet veel meer te zien dan een silhouet. Je ziet mijn bril en de driehoekige vorm van het hoofd waaraan je kunt zien dat het mijn hoofd is – in die tijd. De reden dat ik een beetje voorover sta is een mechanische: ik trek aan een touwtje. Drie meter verderop staat tegen een boom mijn fiets. Op het zadel heb ik het fototoestel vastgebonden, het boxje van mijn moeder. De knop die men indrukt bij modernere camera's is geen knop maar een hefboompje, een schuifje van ongeveer drie millimeter, genoeg om er een draadje aan te bevestigen. Een lange zwarte draad van naaigaren. Het klosje hield ik in de hand en ik trok eraan, wat nog niet meeviel omdat de draad noodzakelijk langs enkele takken schuurde. Vandaar dat ik een beetje voorover sta – tot ik het klikje hoorde. Ik stond op de foto en wel op precies de goede plaats: iets links van het midden zodat ik het lege rechtergedeelte vulde met mijn blik.

Toen de foto genomen was, haalde ik het toestel van mijn zadel. Ik draaide de film door naar het volgende nummer. Het toestel kwam onder de snelbinder. Terwijl ik de zwarte draad op het klosje rolde keek ik uit over de witte velden. De sneeuw hing als stevige room over de slootranden en het was stil. Zo stil als het misschien alleen maar op de noordpool kan zijn.

En toen – een felle pijnscheut in mijn hart. Die vertelde me hoe heerlijk het zou zijn als ik hier, in de sneeuw, nu met Reina was. Door die plotselinge gedachte kwam ik even adem te kort. Ik voelde me treurig en tegelijk eindeloos gelukkig. Ik hoorde de dichter Emerson over de liefde: 'alle andere vreugden zijn haar smart niet waard', een zin die nu pas in zijn volle betekenis tot mij doordrong. Men zegt dat woorden nooit kunnen vertolken wat je voelt, maar misschien zijn dat dan wel de verkeerde woorden. Als het de goede woorden zijn, zijn je gevoelens des te sterker, en dieper. Maar soms, dat is waar, hoeft het alleen maar een vogel te zijn die zingt, een plotselinge plek zon of de stilte van een besneeuwde vlakte – en je hart opent zich.

Een kwartier later was ik op weg naar huis, fietste ik langs het kanaal, langs de tanks van de Esso. Toen zag ik, hoog op de fiets, de wereld zoals hij is: donker, smerig en alledaags, maar in een groots verband. Ik was niet langer alleen.

Reina kende ik al enkele jaren. De eerste keer dat ik haar zag was bij de kapstokken van de eerste klas. Ik zat in de tweede en toen ik die over moest doen, vond ik dat, nu ik bij haar in de klas kwam, geen straf. Ik zat schuin achter haar en als ze voor het bord moest komen en lachend naar de klas de les opzei... begreep ik niet dat iemand zo mooi kon zijn.

Op klasseavonden, in huiselijke kring, leerde ik haar kennen als een degelijke, wat saaie notuliste. Preuts was ze ook, hoewel ik dat woord nog niet kende. Maar preuts was ikzelf niet minder, dus dat kwam mooi uit. We mochten elkaar graag. Op die klasseavonden deed ik mijn best: ik wilde in haar notulen komen. En zij schreef over me, bijna elke keer. Ook die keer toen ze mijn goocheltrucs versloeg en schreef: 'Krol deed zoals gewoonlijk weer zeer onnozel...' Toen protesteerde ik zogenaamd, luidkeels, en eiste haar excuses, die ze me lachend weigerde: 'Het wás toch zo?'

Ja, het was zo. We speelden al een beetje het volle leven. Maar ze had gelijk natuurlijk. Ik had die goocheltrucs vertoond, met de nodige onhandigheid want daarmee kreeg ik iedereen aan het lachen. Tommy Cooper avant la lettre, daar was ik goed in.

We zijn ook 's naar een kampdag geweest, schiet me te binnen. Naast elkaar op de fiets de Hereweg af en 's avonds naast elkaar weer terug. En almaar praten, zij ook. Maar mijn liefste herinnering aan Reina betreft haar ziekbed. We zaten al in de derde klas. Toen de tweede week van haar afwezigheid inging, vond ik dat ik reden genoeg had om haar op te zoeken; ik had een doosje zeep bij me, drie stukken zeep, als cadeau. Ik trof haar aan in de kussens, in een lichtblauwe pyjama, met een boek, en een ontbloot sleutelbeen. Ze was oprecht blij en verrast mij te zien en noemde me bij mijn voornaam. Ze was alweer bijna beter, glimlachte ze. Ze was ook blij met de zeep. 'Drie kleuren' zei ik. 'Drie geuren' zei ze, ze rook eraan. Ik vertelde haar hoe het op school ging, zonder haar. Haar moeder bracht mij een kopje thee. Een lieve vrouw die mij vroeg niet te lang te blijven, aangezien bezoek Reina nog zeer vermoeide. Ik bleef 'niet te lang'.

Op weg naar huis, door de kille natte straten, klonk het droefgeestige gedicht 'Liefde' van De Genestet in mij: 'Die ik het meest heb liefgehad, [...] Dat was mijn kranke; 't was de moede, de uitgeteerde, / Van wie ik leven beide en hopend sterven leerde, / Toen ik wenend aan haar sponde zat.'

De volgende dag was ze weer op school. Ze lachte. Maar haar ziekte had tot gevolg dat ze achter was geraakt. Ze moest veel inhalen en dat deed ze met mij, bij mij thuis. Twee volle avonden hadden we daarvoor nodig, zaten we aan mijn kleine tafeltje, bijna tegen elkaar aan en voelde ik haar warmte. Ook mijn moeder kwam ons thee brengen, dan zwegen we even. En dan gingen we weer verder. Ik hielp haar met haar wiskunde, waar ze trouwens niet slecht in was, maar ze vond het geloof ik leuk het van mij nog 's uitgelegd te krijgen. Ik kon dat zo goed, zei ze. Het waren twee heerlijke, volle avonden. Haar stoel heeft wekenlang op dezelfde plaats gestaan, hoewel ik er 's morgens mijn nek over brak, maar ik wilde dat hij daar staan bleef, tastbare en zichtbare herinnering aan iets liefs.

Zo kun je jaren gewoon bevriend zijn en dan fiets je op een middag in je eentje langs het kanaal, sta je daar stil in de sneeuw met een hart dat, eindelijk, opspeelt en jou weet te vertellen dat je van haar houdt.

Dat was zaterdag. De maandag daarop zag ik haar en we groetten elkaar of er niets gebeurd was. Zo ging die schooldag voorbij, in al zijn eenvoud. Het leven ging zijn gang en ik raakte lichtelijk in paniek. Ik kon mij niet meer voorstellen dat mijn leven een leven zonder haar zou zijn.

Ik praatte erover met Jan Dijkhuis, die Reina – nou ja, 'ik vind Jenny bijvoorbeeld veel mooier' zei hij. Dat stelde mij een beetje gerust. Zo had ik misschien meer kans. Ik moest gewoon een gunstig moment afwachten. Om het lot een handje te helpen schreef ik een contract, een weddenschap betreffende: Reina's jawoord aan mij. Als niet vóór Pasen Reina mij haar jawoord had gegeven... Om een gulden wedden we, Dijkhuis en ik. We legden het met ons beider handtekening vast op papier.

Dat was heel dom. Want, natuurlijk, een paar dagen later kon ik onder mijn klasgenoten een zeker gniffelen waarnemen – alsof er een eendje door de klas zwom, dat uiteindelijk bij Reina terechtkwam. Ze vouwde het papiertje open... Ik zag haar achtereenvolgens blozen, glimlachen en schrijven. Ze vouwde het papiertje dicht, tweemaal en daar zag ik het van bank tot bank naar mij toe zeilen. Ik opende het, zag mijn eigen laaghartige woorden en daaronder: 'Ben ik niet meer dan een gulden waard?'

Geestig. Maar hoe moesten we dit nu uitleggen? Dijkhuis schakelde Jenny in, om Reina te vragen... Reina's antwoord kwam langs dezelfde zigzag bij mij terug: dat zij mij 'heel aardig' vond, maar 'meer niet'. Meer niet. Dat dacht ik al. Precies wat ik weten wilde, zei ik flink tegen Dijkhuis en ik lachte hem ontgoocheld in zijn gezicht.

De kaart

's Zondags waren de christelijke winkels geblindeerd. Dan hing er voor de etalages een rolgordijn neer, meestal van lichtbruin papier, om te voorkomen dat de mens 's zondags zou worden verleid om 's maandags iets te kopen. Zo had je op de hoek van het Brouwerstraatje en de Ebbingestraat boekhandel Paalman. Het was een zaak niet groter dan een flinke huiskamer. Er stond een toonbank waarachter ('hij is aardig, zij heeft de broek aan') het echtpaar Paalman opereerde alsof het een kruidenierszaak was. Vooral tegen Sinterklaas was het er druk. Men wachtte op zijn beurt en als het dan zover was, gaf men zijn wensen te kennen, geformuleerd als 'een lichte roman voor een meisje van zeventien' of 'een historische roman, het liefst geïllustreerd', en dan werd er op de schappen en in de stapels naar zo'n boek gezocht. Het werd gevonden en dan opengelegd op de eerste pagina, getoond aan de klant die, de bril opgezet, de titel las, de schrijver, de uitgever, dan weer de bril afzette en ja knikte zoals men in een restaurant een wijn goedkeurt.

Deze boekhandel was 's zondags geblindeerd. Afgesloten van de wereld. Maar op een van die zondagen zag ik, op weg naar de Kinderkerk, doordat het rolgordijn niet helemaal sloot (het was ergens een beetje blijven hangen, vijf centimeter maar) precies in die vijf verboden centimeters een stuk van een opgevouwen toeristenkaart of fietskaart die, door het zondagse licht misschien wel, enigszins was opgekruld zodat ik, op de hurken nu, mij verbazen kon over de mate van detaillering en in het bijzonder over de naam die ik las: Dorkwerd. Het dorpje dat ik zo goed kende en dat ik nog nooit op een kaart had zien staan! En verder naar rechts het noordelijk deel, met rood aangegeven, van de stad Groningen: de Hoogte en een stukje spoorlijn, het Nieuwe Kanaal en het fietspad ernaast. Alles duidelijk en nabij, alles vergroot. Nog nooit had ik zo'n kaart gezien, zo tot in de finesses.

Maandagmiddag, in de boekhandel, wees ik hem aan. Ik had geen geld genoeg, zodat ik nog tot zaterdag moest wachten.

Die zaterdag... Half twee kwam ik ermee thuis en kon ik hem openleggen op de tafel.

'Zelfs de steenfabrieken staan erop' riep ik geëmotioneerd.

Een hele tafel vol met *nieuws.* Later op de middag zat ik ermee op de grond, op de knieën voor de kachel. Wat mij zo opwond was de gedachte dat het nu zin had *overal geweest te zijn.* Het vooruitzicht dat ik de aarde ging bedekken met mijn lichaam. Overal te zijn...

Het gevoel ging niet over. Integendeel. Ik had een blinde kaart van Nederland getekend en gaf de wegen aan waar ik gefietst had en de wegen die ik nog niet gehad had, daar fietste ik heen, die befietste ik, om ze te kunnen tekenen. Sommige wegen fietste ik (en in toenemende mate) twee of meer keren, maar dat gold niet. Eén keer daar geweest zijn is: altijd daar zijn, mijn kaart gaf dat aan.

Toen ik moest erkennen dat ik ook wel 's per trein ergens heen reisde, dus niet op eigen kracht en niet in direct contact met de weg, zou mijn droom vervagen in die zin dat ik dat soort reizen niet meer bijhield. Het gebied rond de stad was gedekt, maar omdat ik alle wegen gehad had, kwam er niets meer bij en zou ik op een zekere dag de kaart van de muur halen. Hij had geen zin meer. Ik heb hem ook niet bewaard.

De Winsumerstraatweg

Je kon gewoon de stad uitlopen – zonder door auto's of duistere projectielen die fietsers heten van de sokken te worden gereden. De wandeling begon wat mij betreft in de Noorderstationsstraat: rustige, voorname villa's met royale tuinen. Breed trottoir. Tramrails in een straat die geplaveid was met blauwe steen. De rails liepen dood op het Noorderstation. De tram stopte, de passagiers stapten uit en in, en de tram reed terug de stad in, achterstevoren zo leek het wel – totdat de elektrische beugel als vanzelf weer in de sleepstand kwam te staan. Voor het station, dat de straat afsloot, was een rond pleintje waar koetsen en later auto's konden keren en waar de stationschef zijn moestuintje had.

Naast het stationsgebouw was een houten voetgangersbrug, voor kinderen een belevenis als de stoomlocomotief op de juiste plaats was gestopt en hen in witte wolken hulde. Ze konden denken van de aarde ontheven, in de hemel te zijn; ze sprongen en zeilden op hun gespreide armen rond als op engelenvleugels.

Het kinderrijk zette zich, aan de overzijde van de spoorbaan, voort langs de proeftuin voor fruitbomen in een trottoirloze straat waar een hoog, van prikkeldraad voorzien hek het bijna onmogelijk maakte de appels te plukken die binnen handbereik in de zon hingen te gloeien. Tussen spoor en tuin was de ingang tot de ijsbaan Het Noorden.

Ter zijde van de ijsbaan, 's zomers een gewoon weiland, liep de Winsumerstraatweg als het vervolg van de Moesstraat, die bij de Noorderbegraafplaats eindigde. Daar eindigde ook de stad. Daar begon de nacht.

Een klinkerweg met aan weerszijden sloten en in de bermen, die geen bermen waren maar sloothellingen, stonden op gepaste afstanden de 'telefoonpalen' die misschien telefoonleidingen, maar ook elektrische kabels droegen. Soms, als hij de vorm had van een A, droeg zo'n telefoonpaal een straatlamp, onder een wit met blauw emaille kapje.

Links en rechts, achter de sloten, lagen volkstuintjes en verderop, in de eerste flauwe bocht, een boerenhoeve. Daarna nog een algemene en een joodse begraafplaats rechts van de weg en links de ingang tot de nieuwe, grote begraafplaats Selwerderhof, een woeste vlakte bewaakt door een politieman in manchester, met een hond.

Zo breidt de stad zich uit, met sprongen. Je denkt dat je op het land loopt, in de natuur, en dan zie je voor je voeten de nieuwe kabels al uit de grond steken, voorlopig in een knoop gelegd.

De vorm

De straatfotograaf – wij fietsten op hem toe, in een lege zondagse straat en op die foto zie je hoe verschillend wij waren. Scheltinga voluit lachend, één arm omhoog ten groet; ik, beide handen aan het stuur, lach ook, maar een beetje gluiperig. Scheltinga had al een baan gehad, bij de WEB, vrachtauto's, reden waarom ik hem bewonderde. Hij op zijn beurt bewonderde mij om iets dat hij 'oordeel' noemde, maar ik was mij niet van een oordeel bewust. Ik had een grote mond – in kleine kring. Als we met z'n tweeën waren. Op de fiets. In een lege, zondagse straat. Als we ons aan de wereld meedeelden.

We fietsten naar de kerk. Of we kwamen er net vandaan en ik had natuurlijk een 'oordeel' over wat we net gehoord en gezien hadden. En Scheltinga beviel dat oordeel wel. Ik zag hem genieten.

We hadden een sterke bewondering voor elkaar om eigenschappen die we zelf niet bezaten. Zo'n vriendschap kan het lang uithouden, want ze is bijna ideaal. Het was een zwerversvriendschap. Ik heb heel lang niet geweten waar hij woonde. We kwamen elkaar tegen in de stad, op de fiets en dan fietsten we soms verder, de mensen bekijkend, beoordelend want we hadden tijd genoeg. Ik tenminste. Hij had meestal haast.

Ik kende hem van school, van vroeger. Hij was allang van school af. Hij hoorde tot die leerlingen die de verloren jaren proberen in te halen door hard te werken voor een staatsexamen en daar vervolgens telkens maar niet voor slagen. Hij had een zee van tijd, die hij vulde door het druk te hebben. Hij had een krantenloop en een broodloop, hij was met zijn achttien jaar voorzitter van een gymnastiekvereniging en nog een aantal dingen, zodat ik het gevoel had dat mij, hoe dan ook, veel ontging. Hij beleefde van alles, ik niets, ik zat nog op school immers. We hadden het over vrouwen. De vrouwen van hem, ik had er geen.

'Heb je wel 's een vrouw in je armen gehad?'

'O, jawel.'

Hij grijnsde. Maar ook op het terrein van de literatuur verschilden wij. Voor Scheltinga was er eigenlijk maar één bron van literatuur: de brieven van Vincent van Gogh. Omdat hij er vaak op aandrong dat ik die zou lezen, heb ik dat tot op heden niet gedaan – wat niet goed te praten is, maar ik, op mijn beurt, had míjn schrijvers, die ik hem, Scheltinga, aanried, maar die hij ook niet las. Hem ging het om het leven, mij ging het, ja, om het woord eigenlijk. Dat klonk hem, terwijl wij in de sneeuw door het Noorderplantsoen fietsten, aardig 'reformatorisch' in de oren, maar wat moet je zonder het woord, was mijn repliek. We stonden stil op de hoek van de Kerklaan, fiets tussen de benen en we bespraken zijn voorkeur voor Slauerhoff en mijn voorkeur voor Marsman. *Soleares*, zei Scheltinga alsof hij mij bezweren ging, *Soleares* en hij zong het bijna, in woord en gebaar, als in een opera.

Reformatorisch noemde hij mij. Het antwoord daarop vond ik ergens op een sportveld waar we een volleybalnet spanden. Aan weerszijden van het net stonden wij, op een trap. We praatten met elkaar door het net heen en trokken elk aan een touw; het was bij die gelegenheid dat ik hem toevoegde: jij hebt geen vorm.

Hij zal er niet van wakker gelegen hebben. Hij zal de enorme draagwijdte van mijn opmerking niet hebben beseft; zelf besefte ik ook niet helemaal wat ik had gezegd. Het was alsof ik een stok in het vuur stak, om het op te stoken – zonder dat ik precies zag waar het vuur was. Vorm is een abstract begrip waar niet iedereen raad mee weet, maar als je denkt aan een puddingvorm, ben je dicht in de buurt. Het is iets waar je in past, of iets dat je past. Je hebt een baan, een functie, je past in een traditie en als je niet in een traditie past, kun je in de problemen komen. Wat mijn vorm was wist ik allang, maar ik wist niet wat Scheltinga's vorm was, uiteindelijk. We waren zo verschillend. Wat de meisjes betreft lag het wat anders. Al die meisjes van 'm – ik had er minstens zoveel. Alleen, ik had er nog geen vorm aan gegeven. Ik had ze nog niet in mijn armen gehad, maar dat kwam wel.

In oktober '53 nam Scheltinga een foto van mij, en ik van hem, op het dak van zijn huis en de oudejaarsavond vierden wij door in de lege straten van de binnenstad te schreeuwen en te blèren zo hard we konden. Omdat het er zo stil was. We schreeuwden in de portieken, tussen de vitrines van de modemagazijnen, midden op straat. Omdat de Schreeuw is: het nog niet ingevulde Woord. Daarna pakten we de fiets, reden door de aloude Ebbingestraat, keken in het plantsoen naar het vuurwerk. Bij de kunstvijver, waar 's zomers fonteinen spuiten. Nu gingen er pijlen de lucht in. Het was Nieuwjaar geworden. Gelukkig Nieuwjaar, wensten we elkaar toe. Dat het ons goed mocht gaan en dat we in de toekomst maar beroemd mochten worden.

Herfst '54 reisde ik naar Breda, in een overvolle militaire trein. Ik stond tussen twee wagons in, daar waar het looppad bestond uit twee ijzeren kleppen. Ik las de brief die ik al eerder gelezen had, zes kantjes van Scheltinga, speciaal voor mij geschreven. Ze eindigden met woorden die mij door hun vormloosheid niet overtuigden, maar wel door hun kracht: Ik leef! Ik leef! Ik leef!

Wijdbeens stond ik op het ijzer, als op een schip. Ik leef! (3x). In deze steekvlam vond onze vriendschap haar hoogtepunt en, in zekere zin, haar einde, want ik heb hem vervolgens een hele tijd niet meer gezien. Scheltinga vond een baan bij de *Gezinsbode* en daarmee zijn vorm. En ik vond ook een baan. Dit hield in, merkwaardigerwijs, dat we, bij ontmoetingen in de stad, elkaar niet meer goed begrepen.

Jaren later, ik denk wel twintig jaar later, vond er tussen ons een geforceerde ontmoeting plaats: Scheltinga, hoofdredacteur van de *Groninger Gezinsbode* ontmoet Krol, de schrijver. We glimlachten en hadden elkaar niets te zeggen. Ik prees mezelf gelukkig dat het leven van mij niet een hoofdredacteur van de *Groninger Gezinsbode* had gemaakt en hij dankte de hemel dat hij geen romans was gaan schrijven.

Maart 1993 overleed Jan Scheltinga aan een hartstilstand. Vier dagen daarna vond de plechtige uitvaartdienst plaats in de Martinikerk, waar meer mensen aanwezig waren dan er plaats was om te zitten. Ik was er met Mattheüs Blok, die ik op weg naar de kerk toevallig tegen het lijf was gelopen. We waren gezeten in wat vroeger het studentengestoelte heette. We keken uit op de menigte. We spraken uiteraard niet, maar zagen denk ik allebei hetzelfde: een bijna lege avondkerk waar Scheltinga, de regenjas los, onstuimig door zijn haast, als laatste binnenkwam.

Toen de dienst ten einde was en de baar vanuit de kerk door het koor naar buiten werd gedragen, richting Grote Markt, liepen wij erachteraan. De zon scheen ons in het gezicht. De torenklokken luidden. Alle, ook de zwaarste – die alleen maar luiden bij een grote ramp.

Eigen richting

Laat ik op school nooit gespijbeld hebben, in militaire dienst heb ik dit verzuim royaal ingehaald. Het heet daar desertie, een misdrijf dat wordt bestraft met de kogel – in oorlogstijd.

In vredestijd wordt men gestraft met streng of verzwaard arrest.

Het was een winterse zondag, februari '55, dat ik vervroegd terugkeerde van een zogenaamd Filler-weekend. Het was elf uur in de ochtend, de trein was nagenoeg leeg, en koud, en de reis was lang. Op weg naar Middelburg ging ik meestal over Utrecht en 's-Hertogenbosch, maar deze keer reisde ik over Rotterdam, waar mijn oom met zijn schip in de Maashaven lag vastgevroren. Eenmaal in Rotterdam, nam ik lijn 2, de tram naar de havens en na veel vragen, kajuiten in en uit, wist ik het schip, de rijnaak Neerlandia op te sporen. Ik vond mijn weg over de aangemeerde schepen, ik stapte van schip op schip en de laatste meters voerde mijn tocht zelfs over het ijs. De aken lagen diep, je stapte zo buitenboord.

Om begrijpelijke redenen herkende ik mijn familieleden eerder dan zij mij. Mij hadden ze geloof ik nog nooit gezien, maar toen ze begrepen dat ik 'de oudste jongen van Tjitske' was, 'zagen' ze het. 'Van de foto's.' Ik zei dat ik op doorreis was naar Middelburg, maar dat ik had gehoord dat ze in de Maashaven vastlagen en dat dit een mooie gelegenheid was 's even langs te komen. 'Ja wis', zei mijn oom Ate, 'zeker'. Met zijn zwarte pet op beantwoordde hij geheel aan mijn beeld van een Rijnschipper en tante Anne was al bezig aan het fornuis, die gaf mij 'wat te eten', hoewel ik beleefdheidshalve had gezegd dat ik net gegeten hád.

Wie er ook bij was komen zitten was mijn neef Take die, toen ik de hete Gelderse worst achter de kiezen had, mij voorstelde, de stad in te gaan, dan zou hij mij wat laten zien.

We gingen de stad in, namen de tram, zagen het Groothandelsgebouw, dat toen een zekere faam genoot als 'het grootste gebouw van Europa', de kale Coolsingel, het lege Hofplein en de dode Blaak (die groene Monopolystraten zag ik nu in al hun naoorlogse naaktheid) en kwamen tenslotte terecht bij de Chinees, niet direct om er te eten, maar vanwege de kou. Het was intussen donker geworden. We zaten aan een loempia, tegenover elkaar.

'Het is goed' zei ik, 'dat we mekaar weer 's zien.'

Dat vond hij ook. We kenden elkaar van een logeerpartijtje in Friesland, jaren geleden, we waren even oud en ik vroeg hem of hij al in dienst was geweest. Zoals bijna iedereen was hij afgekeurd. Ik snap niet waarom ík nooit afgekeurd ben. Ik vertelde hem dat ik nog anderhalf jaar voor de boeg had, maar dat ik waarschijnlijk vrijstelling zou krijgen. Waarom?

'Omdat ik bij de film ga.'

En toen draaide er een kapotte veer in mij af – resultaat van maandenlang opgekropt verlangen naar vrijheid. Ik begon te zwetsen en zei dat ik met een urgentieverklaring als filmtechnicus en zo nodig als filmster wel zeker een vrijstelling zou kunnen krijgen. Nee, niet als ik bij de Nederlandse film ging werken, natuurlijk niet, ik zocht het meer in de Amerikaanse filmindustrie. Zo bezat ik, vertelde ik hem, een boek over decorbouw en de wijze waarop de Amerikanen hun decors bouwden, legde ik uit, sprak mij bijzonder aan... Maar als ik eerlijk was, zei ik, moest ik zeggen, dan lag mijn kracht toch in de regie.

'Maar heb je dan wel een verhaal?' vroeg Take bezorgd.

'Een verhaal?' vroeg ik gestoken. 'Een verhaal? Wel honderd! Dat is het punt. Alles krijgt bij mij meteen de vorm van een verhaal. Ik kijk naar een kop en ik zie een verhaal. Dat is juist het punt. Daarom moet ik zo snel mogelijk... Ik heb haast' zo besloot ik dreigend en we namen nog een pilsje.

Ik was te laat voor de militaire trein. Bovendien lag, zei Take, mijn weekendtas nog op de Neerlandia. Dat was waar ook. Dat haalde ik nooit meer, heen en terug. 'Dan slaap je bij ons' zei Take en daar had ik niets op tegen. Dan hadden we tenminste nog een lange, onbezorgde avond. We liepen de lange weg terug naar de haven. Mijn luchtmachtcap had ik in m'n broekzak gestoken, zodat de wind door mijn haren speelde, wat mij een uitzinnig gevoel van vrijheid gaf.

In de Maashaven stapten wij van rijnaak op rijnaak en eenmaal terug op de Neerlandia, terug in de warmte, werd er een bed voor mij opgemaakt en kregen we chocola, worst, gebak... van alles. Take speelde op zijn accordeon om mij te laten zien dat hij ook wel wat kon. Oom Ate had het over mijn moeder die altijd al, ook op de boerderij, een stadskind was geweest. Een mooie strik in het haar. Ja, die foto's kende ik. Ik had een knappe moeder vroeger. 'Das war einmal,' zei oom Ate, nu was het een, wat hij noemde, 'griis âld wyfke'. Ik zei dat dat wel meeviel. Tegen elven kregen we opeens bezoek. Geen bezoek, het was mijn nichtje Itte die thuiskwam. Een mooi meisje, dat ik van vroeger kende, toen ze nog niet zo mooi was. En hartelijk. Spontaan. Zoals ze mij een hand gaf. Eerlijk gezegd, in mijn beslissing over Rotterdam te gaan had zij haar verborgen aandeel. Ik had gehoopt haar te zien en nu zag ik haar. Ze had een heel verhaal over het café waar ze geweest was. Ik luisterde en leefde.

Zo zaten we met ons vijven in die grote, lage kamer te kletsen over van alles. Het was twaalf uur. In Middelburg werden de koppen geteld; er miste één kop. De kop van Krol. Niemand, niemand die wist waar Krol uithing. Dat was me toch even genieten. Ik zat op de divan met mijn nichtje Itte die mij haar schrift met gedichten had gegeven en die zat ik nu te lezen. Gedichten over een scheepje van papier, over rode lijsterbessen, over een paard... Ze las een paar regels voor, met haar Duitse accent. Waar heb ik dat gelezen: de grootste ellende zal wijken voor één enkel woordje van liefde – het is helemaal waar. Het was twee uur. We gingen naar bed en daar, in dekens gewikkeld, hoorde ik haar stem in me doorklinken. Ik voelde mij geborgen in vrede.

De volgende morgen stonden we laat op. Itte had een vrije dag en het was opnieuw weldadig met haar te praten. Ik was een stuk rustiger.

Na het middaguur pakte ik mijn spullen. Het werd tijd – niet om op te stappen, maar om aan te komen, op de kazerne in Middelburg.

Ik kwam er om zes uur aan. Achttien uur te laat. Vier appèls gemist. De kapitein Stolk strafte mij met zeven dagen streng arrest. Ik zou de straf doorbrengen in de enige cel die de negentiende-eeuwse kazerne rijk was: boven de poort. Maar omdat de cel onverwarmd was en het tien graden vroor, hoefde ik daar niet te zitten. Mijn straf werd gewijzigd in eenentwintig dagen licht, uit te zitten op de kamer. Alle vrije uren, in het bijzonder de avonduren, de zaterdagen en de zondagen, door te brengen op de slaapkamer. Niet naar de kantine, niet de stad in, niet met verlof. Het is geen zware straf voor mensen die zoals ik toch al liever op de kamer zitten omdat ze dan de rust hebben 's een boek te lezen. Maar toen ik merkte dat ik niet werd gecontroleerd, ging ik gewoon de stad in. Blootshoofds en op gympjes, waarom weet ik niet. Toen ik terugkwam, werd bij de poort mijn naam genoteerd. Ik gaf als het ware mijzelf aan. De volgende avond ging ik weer. Ik wilde wel 's zien wat er gebeurde als ik het 'te bont maakte'.

Niets. Op 24 maart, een donderdag, werden wij, dienstplichtige soldaat-cursisten, opgesteld in de open lucht, allemaal bevorderd tot sergeant met een in het vooruitzicht gestelde bevordering tot vaandrig, drie maanden daarna. Allen, behalve ik en nog een zekere Muilwijk, die de kapitein Stolk ooit een grote mond gegeven had. Op 31 maart werden wij tweeën overgeplaatst naar de vliegbasis Leeuwarden. In de trein, op het toilet, ontdeed Muilwijk zich van de oranje driehoekjes die al die maanden onze kragen hadden gesierd ten teken van ons aanstaand officiersschap. Terug van het toilet verzocht hij mij met klem hetzelfde te doen. Ik kreeg zijn schaartje mee.

Ik zat op de pot van het toilet, broek aan, jack uit en hoorde de zin die ik meende wel 's in een jongensboek gelezen te hebben. 'Voor het oog van de troepen werden hem de onderscheidingstekenen afgerukt.'

IV

De straat

We opereerden in het struikgewas op de hoek van het Bernoulliplein. We onderzochten de bodem met stokken. Van Zuilingen was daarmee begonnen en wij volgden hem daarin. Hij wrikte met zijn stok tussen de wortels tot hij ze boven kreeg en dus probeerden wij ook allerlei wortels bloot te leggen en naar boven te halen. De aarde was zwart en nat en werd door onze bewegingen nog natter. Zoals je, op het strand porrend met een stok of met je voet, het zand kunt veranderen in water.

Het motregende, maar onder de brede, altijd groene takken van het struikgewas was daar niets van te merken. Alles was even nat. Ik was erin geslaagd een kleine kale struik, waarschijnlijk een sering, geheel los te wrikken. Ik hield hem triomfantelijk omhoog, zal daarbij hebben geroepen 'kijk wat ik hier heb' en zwiepte hem toen het water in.

Het laaggelegen Bernoulliplein, 's zomers een grasvlakte, was 's winters een waterplas met een diepte van maximaal vijftien centimeter. Eén nacht vorst was soms al voldoende het plein in een ijsbaan te veranderen. Zich voortbewegend aan keukenstoelen konden kleine kinderen leren schaatsen zonder dat ze gevaar liepen door het ijs te zakken en te verdrinken.

Er viel die winter zoveel sneeuw dat de straten niet meer werden schoongeveegd. Over de hele straat lag sneeuw. Je hoorde geen karren, geen paard-en-wagens en de mensen zelf hoorde je ook niet. En nog steeds sneeuwde het. De hele winter door was de stad wit. We waren in de weer met het bouwen van een sneeuwhut, aan de rand van het trottoir. De muren waren ballen sneeuw op elkaar gestapeld en het dak bestond uit platen, ook van sneeuw – dat was onze uitvinding. We staken op de trottoirs de vastgetrapte sneeuw af, platen van drie bij vijf tegels en vijf centimeter dik. Doordat het zo hard vroor kon je die platen zo van de tegels scheppen. We maakten veel meer platen dan we voor die sneeuwhut nodig hadden. We deden dat omdat het zo makkelijk ging en omdat het fijn werk was. Pastoor kwam op het idee daar geld voor te vragen. Een schoon trottoir voor iemands huis leverde dertig cent op, tweeënhalve cent per plaat. De mensen prezen het werk dat we deden. En terecht. Niemand hoefde meer uit te glijden.

Op een middag gebeurde het dat de kolentram omviel. Mijn broertje vertelde het. Aan het begin van de Korreweg, langs bakkerij Ritsema liep de kolentram bestemd voor het Academisch Ziekenhuis uit de rails en sloeg om. Een klein trammetje was het, kort en hoog en er zaten grote kolen in, grote brokken steenkool, zo groot dat je ze niet op kon tillen, als kind. Maar ook wie groot was en sterk kon maar één brok tegelijk meenemen, als hij geen kar of iets dergelijks bij zich had. Daarvoor was alles te snel in zijn werk gegaan. Je zag dus een rechtvaardige verdeling van de steenkool over de mensen die het geluk hadden bij het ongeluk, toen het gebeurde, aanwezig te zijn. Mijn oudste broertje, te klein voor de grote brokken, was naar huis gerend om een jutezak op te halen en met die jutezak over zijn schouder vloog hij weer terug naar de tram, waaruit intussen alle steenkool, inclusief het gruis verdwenen was, ook het gruis in de sneeuw was met sneeuw en al weggehaald. Mijn broertje kwam met een lege zak thuis. 'De volgende keer doe ik het anders' zei hij.

Een paar dagen later ging hij met dezelfde zak naar het Noorderplantsoen om hout te sprokkelen. Ik ging met hem mee. Het had hard gewaaid, maar de grond lag niet bezaaid met dode takken zoals wij gehoopt hadden. Wij vonden niets, want gesprokkeld werd er in het plantsoen door iedereen. Het enige wat ik vond was een houten paaltje, waaraan door middel van een kram een stuk prikkeldraad bevestigd was dat diende om 's zomers de bloemperkjes te beschermen. Zo liep je er niet doorheen. Het was een lang perkje, ongeveer tien meter lang en een meter breed. Het prikkeldraad was er zigzag overheen gespannen; je kon het makkelijk lostrekken. Het zat vast aan een tweede paaltje en dat trokken we ook uit de grond. Het perkje was leeg, er stonden geen bloemen in. Het prikkeldraad was onverwacht lang, en onhandelbaar. We liepen elk met een paaltje en het lange prikkeldraad op sleeptouw tussen ons in. Bij de Ebbingestraat aangekomen rende mijn broertje meteen naar de overkant, terwijl ik bleef staan, omdat er een tram aan kwam. Die stopte voor het prikkeldraad dat over de weg gespannen was. Er naderde een fietser die in volle vaart van zijn fiets afsprong en 'sabotage' riep. Wij schrokken zo van dit woord (dat onze dood kon betekenen) dat we wegholden, mijn broertje de Korreweg op, ik terug het plantsoen in.

Nadat de dooi was ingetreden, ging ik verder met het karwei dat door de vorst was onderbroken: de aanleg van een dijk dwars door het water van het Bernoulliplein. Met de schop van huis meegenomen stak ik de benodigde grasplaggen af, rooide ik de struiken door de wortel kapot te spitten. Deze dam van takken en gras werd verzwaard met aarde en klinkers die ik uit de rijweg haalde – die lagen los, door de dooi. Pastoor hielp mij bij dit werk.

De dam bereikte een lengte van zo'n zes meter. De oorlog liep ten einde, het Bernoulliplein kwam droog te liggen. Ik was ervan overtuigd dat de tuinlieden van Gemeentewerken mijn dam zouden accepteren als een voldongen feit en hem wellicht zouden voltooien. Een dijk diagonaal over het plein. Voor de voetgangers. Maar op een dag zag ik dat alles wat ik had aangelegd was weggehaald. Op de open zwarte plekken was graszaad gestrooid, dat tot mijn genoegen door de vogels werd weggepikt.

Muziek

Oefening baart kunst. Al doende leert men, maar muziek is bij ons thuis nooit aangeslagen. In de grote kast onder de trap hing een viool, naast de rioolbuis van de bovenburen en het ene was net zo onbeweeglijk als het andere.

Totdat, op een dag, ik van mijn moeder hoorde dat ik 'een heel mooi cadeau' ging krijgen. Deze aankondiging vond ik verdacht en ik had het meteen door: het wordt die viool, dat wordt vioolles en daar keek ik allerminst naar uit. Maar er was al geen weg meer terug.

Het exemplaar was van mijn vader, die voor zijn onderwijzersstudie werd geacht 'ten minste één muziekinstrument te beheersen'. Hij moet even niet goed bij zijn hoofd zijn geweest toen hij voor de viool koos, want nooit heeft iemand hem erop zien spelen. Ik kon me niet voorstellen dát hij er ooit op gespeeld had; die viool paste niet bij een man die geleerd had zijn teennagels te knippen met een nijptang en ik vond dat het ding ook niet paste bij mij.

Het was een zogenaamde 'hele' viool en ik was acht jaar. Het instrument was mij te zwaar, ik kon hem tijdens het spel niet goed omhooghouden. Ik speelde dan maar met de elleboog op de heup gesteund, zittend, als bespeelde ik de luit.

Rond de kerst kon ik het zingende gezin begeleiden met 'Nu sijt wellecome' en 'Stille nacht'. Moeiteloos en uit het hoofd. Zoals je een deuntje fluit, noten had ik niet nodig – eenvoudig omdat ik het schrift niet beheerste. Ik zag de noten als vingerzetting, niet als geluid. Dus een melodie las ik er niet in. Zomin als ik een melodie direct in notenschrift wist om te zetten. Een simpel straatliedje als 'Ouwe taaie' kreeg ik niet op papier. Ik had de viool erbij nodig; elke toon moest ik aanstrijken voor ik wist wat zijn plaats was op de notenbalk en dat leek mij niet de manier.

Misschien was het te hoog gegrepen. Misschien was ik te

ongeduldig. Maar de tijd verstreek en ik maakte geen vorderingen. Ik had een slechte leraar zou je kunnen zeggen, maar tegelijk had ik met hem te doen: dat hij in een nauwelijks verwarmde kamer les moest geven aan zulke hakkenkrukken als ik.

Tijdens de laatste oorlogswinter zijn de lessen onderbroken geweest; na de oorlog ging het gewoon verder, maar het haalde niets meer uit. Ik had geen talent. Ik had buitendien geen gevoel voor de nuance. Voor mij was een toon 'alles of niks', een digitaal geluid avant la lettre en waarschijnlijk ben je met zo'n instelling bij een piano aan een beter adres. Of misschien zelfs een klavecimbel. Of een pianola. Ik meende te kunnen houden van: mechanische muziek.

De viool kwam weer in de kast te hangen. Mijn ouders waren teleurgesteld. 'Een gróóóte tegenvaller' zei mijn vader. Ik wierp hem voor de voeten dat ook hij er niks van gebakken had. Dat leverde mij een draai om de oren op. Terwijl je toch zulke leuke liedjes kunt spelen, zei mijn moeder. Mijn broertjes hebben ook nog les gehad. Dat is evenmin iets geworden.

Het lag niet aan die viool. Een paar jaar later kregen we van een oom, die al twee jaar bezig was te verhuizen, in de achterkamer een harmonium gestald. Niets lag meer voor de hand dan dat iemand daar 's zijn kunsten op probeerde, desnoods staande, desnoods met één vinger. Maar niemand van ons die daarnaar taalde. Ook mijn ouders niet, laat ik dat erbij zeggen.

Daarentegen. Toen ik oud genoeg was om de radio te mogen bedienen, raakte ik snel geïnteresseerd in de symfonieën van Beethoven, Tsjaikowski en Berlioz. Muziek waar mijn ouders geen weet van hadden. De NCRV-Omroepgids, verlucht met kleine fotootjes van dominees en componisten (die ik uitknipte), gaf duidelijk aan wanneer de muziek werd uitgezonden. Ook in het buitenland. Voor het eerst hoorde je de vreemde talen in het echt.

Het gezin door de radio verbonden – dat is het beeld dat men tegenwoordig graag heeft van de jaren vijftig. Ons gezin, zo vredig en saamhorig in oorlogstijd, werd door de radio verscheurd. Niemand die belang had bij mijn Beethoven ('Heet boven'). Als mijn vader thuiskwam, tegen achten, en hij zat te eten, en de krant te lezen, dan was per definitie de radio uit. Een kwestie van geduldig wachten. Nauwelijks had hij de krant dichtgevouwen of ik, op de kop van de divan gezeten, kon de knop omdraaien en op (bijvoorbeeld) RIAS Berlijn het vierde pianoconcert van Saint-Saëns gaan beluisteren, als er tenminste op die golflengte niet ook nog een stoorzender actief was. West-Duitse zenders werden gestoord door zenders in de Sovjet-Unie.

Maar de ergste stoorzender was mijn zusje. Met mijn oor tegen de luidspreker kon ik de muziek desgewenst op zacht zetten, niemand die het hoorde. Maar als mijn zusje die in de serre sliep het in haar hoofd kreeg voor het slapen gaan nog even te zingen, kon ik de radio weer afzetten. Blazend van verontwaardiging stond ik naast de divan, keek via het glas van de tussendeur naar mijn zusje, dat op haar rug lag te kwelen, de ogen gesloten, toegewijd. 'Ze ligt er als een heilige' kon ik mijn moeder toebijten, die haar vinger op de lippen legde. 'Scheepje onder Jezus' hoede', 'Als ik Hem maar kenne', het lied van de pelgrim... Zolang mijn zusje zong, kwam de radio niet aan en mijn zusje zong voort.

'Ze doet het alleen om te pesten' wist ik te melden na weer een blik in de serre en toen ze dan eindelijk, door slaap overmand, ophield met zingen, waren ook de laatste parelende klanken van het vierde pianoconcert verstorven. En dat had mijn moeder op haar geweten. Ik ging naar boven, verliet de kamer na nog een laatste veelbetekende blik.

In de jaren daarop zou ik het liefst luisteren naar stoorzenders van de Sovjet-Unie, die ik zelfs van elkaar wist te onderscheiden.

Maar ook dat ging over. Ik was al bijna het huis uit, in dienst, waar ik leerde de smaak te verdragen van jan-met-de-pet. Tien tegen een, als je een weldenkend mens vraagt, wat vond je nou het ergste in dienst, dat het antwoord zal luiden: de radio. Maar goed. Ik had het er bijna op zitten, toen ik op een vrijdagmiddag thuiskwam en zag wat mijn moeder had gekocht: een pick-up, in dichte toestand niet groter dan een koekjestrommel, maar open, het deksel als luidspreker, draaide je er platen op. We hadden geen platen. Daarom had ze er eentje gekocht, een 45-toerenplaat. *Finlandia*, met op de andere kant *Valse Triste.* Maar het ging om *Finlandia*. Eindelijk *Finlandia* voor zich alleen; de werking van de pick-up had ze zich laten uitleggen.

Het fotoalbum

Mijn moeder hield op met fotograferen een jaar nadat haar eerste kind geboren was. Toen was ze zesentwintig en haar œuvre bestond uit ongeveer vijftien familiekiekjes, die ze overigens niet alleen genomen, maar ook ontwikkeld en afgedrukt had. Ze heeft ze vastgezet met transparante driehoekjes en maar een enkele foto is bruin geworden. Bijna alles is door de jaren heen zwart gebleven, niet vergeeld: een foto van haar stiefmoeder, om mee te beginnen, een foto van haar ouderlijk huis, een foto van haar zuster en zwager, een foto van haar aanstaande schoonouders, een foto van haar ongetrouwde nicht en dan, zomaar, een serie van acht, genomen in en rond Zeegse, toen ze al getrouwd was, wat vriendinnen te logeren had. Je ziet een foto van mijn vader, uitdagend omdat de fotograaf mijn moeder is en ook zie je het moment vereeuwigd dat hij met mijn moeder en twee van haar vriendinnen ligt te rollebollen in het zand, daar staan ze erg vrolijk op, die twee. Of die vier. Voorts bevat het album een aantal over de post gestuurde trouwfoto's en gezinsfoto's van familieleden, foto's van het eerste zittende kind... en dan is de lol eraf. We zien, het blad omslaand, de eerste foto van een grafsteen. We zijn dan op een derde van het album. De rest van het album zou jarenlang leeg blijven – tot ik mijn foto's erin begon te plakken. Ik heb een tijd landschappen gefotografeerd met het boxje van mijn moeder, weilanden, zonsondergangen, het Nieuwe Kanaal, tot het formaat van de foto's, 11 x 6 cm, niet langer courant was.

Op 1 juni 1943 is er een staatsiefoto van ons gezin genomen door de toen bekendste fotograaf van Groningen: Steenmeyer. De kinderen zitten op een rijtje; mijn jongste broertje met een wollen haasje; mijn oudste broertje fronsend nieuwsgierig naar de fotograaf; ikzelf braaf, de mond met zichtbaar grote tanden halfopen; aan de andere zijde mijn zusje met een strik in het haar zo groot als haar hoofd en daarachter, half verzonken alsof hij tot de coulissen behoort, of een onderzeeër is die zojuist boven water is gekomen: mijn vader. Streng, net naar de kapper geweest, wat in die jaren resulteerde in een hoog opgeschoren hoofd.

Helemaal rechts mijn moeder, niet meer die knappe brunette, zoals ik haar graag op foto's zie, maar in die paar jaar dat ze 'in de kinderen kwam' getransformeerd tot een zachtmoedige huisvrouw in een bloemetjesjurk. In haar blik lees ik het besef van de droevige noodzaak van deze foto...

Mevrouw Tonckes

Ze woonde een paar huizen verder, mevrouw Tonckes. Als alle mevrouwen in die tijd op straat getooid met een malle hoed, driehoekig, schijf- of peervormig, enkel of dubbelgevouwen. Als het maar een idiote, ingewikkelde hoed was, dan kon je zien dat daar een dame liep en niet een arbeidersvrouw, of een jonge meid. Mannen droegen, ter onderscheiding van de schooljeugd, een gleufhoed.

Er woonden op ons streekje veel dames. In dat opzicht was mevrouw Tonckes niets bijzonders. Ze was een mevrouw als iedereen, zij het dat ze weduwe was en kinderloos. Niettemin had ze een opgeruimde natuur. Ze was 'altijd goed te spreken'. Als ze voorbijkwam en iemand van ons stond voor het raam, zou ze altijd wuiven, dat hoorde bij haar. Wat bij iemand hoort merk je vaak niet eens op zodat het mij ook nooit eerder opgevallen was dat ze op een vogel leek. Een korte, hoge staart.

En zo had ik nooit gezien dat de mevrouwen van het streekje, mijn moeder incluis, eens in de week bij elkaar op visite kwamen – want dat was de gewoonte. 's Middags hoorden we dan wel 's wat over deze of gene – nooit erg schokkend nieuws, want behalve dat men lette op het uiterlijk, lette men op de woorden die men sprak. Het erge hield men toch wel voor zich. Er werd niet geroddeld, zei mijn moeder en daarmee voldeed ze aan de standaard die ze van huis uit had meegekregen: nooit dingen vertellen over iemand die hij of zij zelf niet mag horen. De dames noemden elkaar u en mevrouw, zaten rechtop in hun korset op het puntje van de leunstoel, nipten aan de hete koffie, schoteltje horizontaal voor de buste. Alleen mevrouw Tonckes, dat kon mijn moeder toch niet voor zich houden, die mevrouw Tonckes was toch wel een rare. Die was 's morgens binnengekomen, als laatste, was gaan zitten en in de stilte die ze blijkbaar met haar komst veroorzaakte, had ze gezegd: 'Ik vind, de dames zeggen niet zoveel.'

Dat was geen roddel, dat was leuk. 'Het is me een typ' zei mijn moeder, terwijl ze rechtop aan tafel glimlachend haar lepel in de soep schoof. 'Ik vind, de dames zeggen niet zoveel' herhaalde ze en terwijl ze de lepel naar de mond bracht glimlachte ze nog steeds.

Ik heb nooit een dagboek bijgehouden en dan nog, wat achteraf een verhaal is, blijkt te bestaan uit gebeurtenissen die op dat moment te onbeduidend waren om te noteren. 'Ik vind, de dames zeggen niet zoveel' – wie schrijft dat nou op? Toch stond met rood potlood in mijn hoofd genoteerd dat mevrouw Tonckes onder de dames een uitzondering was. 'Ze is hoe dan ook een fris mens,' zei mijn moeder, 'een typ.' Mensen met karakter noemde ze graag een typ.

Ongeveer een jaar later (ik zat in de vierde klas) gebeurde het dat mevrouw Tonckes in haar eentje bij ons in de voorkamer zat. Mijn moeder was in de keuken bezig met de koffie, ik stond op het punt naar school te gaan. Mevrouw Tonckes was 'aan de vroege kant'. Ze zat achterover in de stoel bij het raam, in de zon. De benen over elkaar geslagen – en wat voor benen. Oranje, vlezig, zwaar – niet direct geschikt voor jongensogen. Maar wat voor jongen was ik eigenlijk. Een gewone, onverschillige puber wiens geest elke dag weer ontoegankelijk was door een laaghangend wolkendek. Ik zou ook deze morgen niets hebben gezien, of willen zien, als niet (zoals dat met een laaghangend wolkendek wel 's gebeuren kan) opeens even het zonnetje was doorgebroken. Kort, en het was alweer voorbij. Maar die ene minuut dat de wereld glansde en ikzelf in het bijzonder, was ik even een aardige jongen, die haar vroeg of het nylons waren die ze droeg, omdat ze zo prachtig van kleur waren, die benen.

'Nee hoor, 't is helemaal mijn eigen kleur.'

Ze strekte ze en vlijde ze liefdevol tegen elkaar.

'Potverdorie' zei ik.

Ik was geheel onervaren met vrouwen, en soms een beetje bang. Maar nu opeens niet voor deze mevrouw Tonckes. Integendeel, ik voelde dat ik, terwijl ik gewoon dacht oog in oog te staan met een schilderij, haar streelde met mijn liefdevolle bewondering en deed er nog een schepje bovenop. Een schilderij dat, naar ik bekende, mij een werk leek van Modigliani (uitgesproken met een Nederlandse g), 'die alleen maar mooie vrouwen schilderde'.

Ze haalde diep adem, om me te antwoorden – maar het

wolkendek trok weer samen. Mijn moeder kwam binnen met de kopjes koffie op het blad en ik ging naar school.

Eenmaal terug in de gewoonte van alledag was ik mevrouw Tonckes, met haar benen, snel vergeten. Wel zag ik haar nu en dan ons huis voorbijlopen – als ik voor het raam stond. Dan wuifde ze en wuifde ik terug naar deze mevrouw, die een hoedje droeg in de vorm van een liggende 8 of een J, zijdelings tegen het linker- of rechteroor geplet, maar ook (op een frisse voorjaarsdag): een kort zwart bontjasje, waar een bloemetjesjurk onderuit fladderde die bij elke windvlaag haar formidabele benen onthulde. Had ik toen al kennisgemaakt met de tekeningen van Steinberg, dan zou ik vast alleen maar benen hebben gezien. Twee welgevormde, hooggehakte, voortvarende stappers, bekroond door een felgeschminkte kop, en een wanstaltig taartje erop.

Het moet dezelfde zomer geweest zijn, want ik droeg mijn nieuwe sportschoenen, dat mijn moeder me vroeg haar een dienst te bewijzen: het tuintje van mevrouw Tonckes om te spitten. Het liefst nog dezelfde middag. Ik speel op en vraag waarom 'dat mens' dat niet zelf kan doen. En waarom 'dat mens' niet het lef heeft dit persoonlijk aan mij te vragen. Ik geef, met andere woorden, mijn moeder een grote mond – maar sta wel een paar uur later in het tuintje van mevrouw Tonckes met een schop in de hand. Een tuintje van niks, driehoekig tussen de schuttingen. Een stukje gras, hard en steenachtig; de bedoeling is dat ik dat omspit tot een hoekje vruchtbare, rulle aarde.

''t Is dat ik het in m'n rug heb,' zegt mevrouw Tonckes, 'zonder m'n rug deed ik het zelf. Neemt niet weg, overigens, dat ik altijd graag een mooie man zie werken.'

Ik antwoord ad rem dat voor een mooie vrouw mij niets te veel is en ga aan de slag.

Mevrouw Tonckes zit op de keukendrempel, rookt een sigaret en ziet toe. Haar oranje benen steken uit de sportbroek, al is er, op deze noordzij, geen zon om ze in de Modiglianigloed te zetten. Ik vermoed waarom juist ik hier aan het werk gezet ben. Nu en dan kijk ik op, om even uit te rusten, en lach wat ongemakkelijk naar haar. Het schiet lekker op. In de buurt van de schutting sta ik, al spittend, noodgedwongen een tijd lang met mijn rug naar haar toe – iets waar ik volstrekt niet van hou.

Het werk is klaar en zij vraagt of ik 'een wijntje' wil.

Wijn?

Ik heb van mijn leven nog nooit wijn gedronken. Wel Sisi. Maar waarom, lacht ze, dan juist niet 's wijn geprobeerd? Ze huppelt de keuken in en ik zie haar twee glazen volschenken. Ik word naar binnen geroepen. We klinken intiem, ping, gezondheid, en drinken.

De wijn is zuur, ik dacht altijd dat wijn zoet was, maar deze is 'lichtzuur en zelfs wat mousserend, proef je?'

Ik proef het. 'Net Sisi' zeg ik en lach. Zij ook. Ik bekijk haar. Ik probeer in die blote, heerlijke benen naar boven toe een vervolg te zien, maar waar Modigliani en andere kunstenaars doorgaans de welving van een boezem schilderden, of de boezem zelf, zie ik een frommelig stukje textiel. Daarboven de beschilderde kop van iemand die tegen de veertig loopt.

'Hoe lang bén je eigenlijk?' vraagt ze.

'Een meter negenennegentig.'

'Een hele lengte. Jammer dat je zo krom staat. Waarom sta je eigenlijk zo krom?'

'Dat is mijn natuur' zeg ik.

'En je buik... waarom sta je zo met je buik vooruit?'

'Ik ben leptosoom.'

Ik zeg 't maar zoals het is. Nietwaar? Wat moet ik met een vrouw van veertig. En wat wil zij eigenlijk van mij, een slungel van zeventien, bij wie men een bordje zou kunnen plaatsen: 'gevaarlijke S-bocht'. Daarom, laten we niet proberen aantrekkelijk te zijn voor elkaar. Veren opgestoken – ze gaan weer liggen en er is niets gebeurd.

Mevrouw Tonckes. Gré heette ze. Als ik voor het raam

stond wuifden we. De tegels weerstonden maar nauwelijks haar machtige stap. Gat achteruit. Net als veel auto's tegenwoordig had ze een hoog achterste, dat reikte tot bijna haar schouderbladen. Leptosoom was ze niet.

De leveranciers

Het is de kleine man die het moeilijk heeft, zei mijn vader, het is de kleine man die geholpen moet worden. Door onze klandizie was de kleine man geholpen en daarom: we hadden de kleinste bakker, de kleinste slager, de kleinste melkboer, de kleinste kruidenier, de kleinste loodgieter en de kleinste fietsenmaker, de kleinste kolenboer, de kleinste groenteboer.

De slager kwam van de Meeuwerderweg. Mogelijk waren wij in het noordoosten van de stad zijn enige klant en kwam zijn trouw voort uit het idee dat hij ons een genoegen deed en niet andersom. Onze 'melkboer' was een boer in de Moesstraat, toen daar nog boerderijen stonden en als het melken gedaan was, sprong hij op zijn fiets om met de melkbus voor op het stuur zijn ene klant uit Plan Oost, zijn ene klant in de Zeeheldenbuurt en zijn ene klant aan de Korreweg voor dag en dauw uit bed te bellen voor een liter volle, gelige melk.

Onze fietsenmaker had mijn vader opgedaan in militaire dienst. Het was een fietsenmaker zonder werkplaats, hij plakte zijn banden in de huiskamer, waar ook een harmonium stond: geloofsgenoot. Onze kruidenier, een dorpsgenoot uit Friesland, bracht ons elke vrijdagavond een tas vol levensmiddelen – twee kilo suiker, een pak maïzena, een fles bleekwater, een zak zout, een fles grenadine, twee pakjes blue band, drie stukken sunlight, een pot jam, een doosje custardpudding, een zak meelkoekjes, een zakje chocoladevlokken – alles volgens het lijstje dat hij de dinsdag tevoren bij mijn moeder had opgehaald. En een puntzakje tumtum voor ons. Een praatje en dan sprong hij weer op de fiets, met twee benen tegelijk, want hij was jong. Fluitend terug naar zijn huiswinkeltje aan het eind van de Korreweg, nagekeken door mijn vader die 'stumper' zei, een woord dat mij door de ziel sneed.

Het was duidelijk: de dagen van de leveranciers waren geteld. Ik zag het aan mijn moeder, het plezier dat zij beleefde aan een bezoek aan Hartog, de grote kruidenier op de hoek, waar de suiker niet meer met een voorzichtige schep werd afgewogen op de weegschaal, maar als kilo's reeds in keurig toegevouwen zakken klaarstond. Dat hadden ze gewoon de avond tevoren gedaan, hij en zijn flinke vrouw, zo *efficiënt* was dat bedrijf. Bovendien was daar de variatie in het aanbod. Drie merken jam, vier soorten kaas, zelfs Franse, én het praatje met de andere mevrouwen, bekende en onbekende, terwijl je stond te wachten op je beurt. Zag je de mensen tenminste weer 's. Hoorde je 's wat. Dit wou ze voor geen goud meer missen.

Later zou ze er zelf op uittrekken, op haar sportieve damesfiets met het bokkenstuur. Ik zag haar vaak. Op weg naar huis, de beide Schotsgeruite fietstasjes vol en dan stak ik mijn hand op, als tegen een bekende.

Descartes

Militaire dienst is een komisch toneelstuk. Je bereidt je voor op een oorlog, je leert daartoe een vak of je maakt je een vaardigheid eigen. Maar wat je niet leert is vechten. Hoe bereid je je voor op de oorlog als je niet geleerd hebt te vechten? Wat je hebt geleerd is: niet te schieten. Niet te vechten. Vechten leer je pas in de oorlog. Wat je leert, in dienst, in vredestijd, is discipline. Dat is een goede zaak. Want dat is misschien wat je nog het meeste nodig hebt als je vecht: discipline. Dat je er een technische zaak van maakt. Dat geldt ook voor vrouwen. Ook vrouwen treden aan voor het appèl en spannen de bilspieren als ze, in de houding, het geweer presenteren.

Discipline is in een week te leren. Dat je daarna nog twee jaar moet dienen, is niet om nog meer te leren, maar omdat 'de troepen op sterkte moeten worden gehouden'. Door een overmaat aan vrije tijd heb je de gelegenheid veel te lezen, te studeren en jezelf te ontwikkelen. Eenmaal gestationeerd op de vliegbasis Leeuwarden huurde ik voor vijfentwintig gulden in de maand een kamer in de stad. Ik verdiende één gulden vijftig per dag, dus ik hield nog geld over. Ik las en schreef. Voelde mij een Descartes die meetrok in de legers van prins Maurits in de jaren dat het op oorlogvoeren niet zo aankwam. Mijn collega Snip had een volkstuintje – ook een soort Descartes.

Ik was sergeant en omdat er nog twee sergeants waren, had ik óf 's morgens dienst, óf 's middags, óf 's avonds en had ik, en zij ook, de meeste tijd vrij. Mijn vrije tijd beschouwde ik als werk en mijn werk op de vliegbasis beschouwde ik als mijn vrije tijd. Noodgedwongen, want ik had daar niets te doen. De morgen/middag/avond dat ik op de basis moest zijn kon ik besteden aan het bladeren in *Life* of *Paris Match* en tijdschriften met blote vrouwen die overigens alleen maar vanboven bloot waren. Het waren altijd nog heel decente bladen waar wij de schaar in zetten. Een mooie foto kwam aan de wand.

Een groot deel van de tijd doorgemaakt als militair bestaat uit illusies. En niet alleen 's avonds, of 's nachts, maar ook gewoon, tijdens diensturen. Mijn werk, en dat van mijn collega's, bestond uit het coderen en decoderen van geheime berichten. Gemiddeld behandelden wij één geheim bericht per dag. Gedecodeerd moest het in een met een lakstempel gesloten envelop aan de desbetreffende commandant worden overhandigd. Doorgaans was het bericht allang aan iedereen bekend. Toch hechtte ik eraan de procedure naar behoren uit te voeren. Als ik over de vliegbasis fietste met een bericht waar niemand op zat te wachten, dan kon ik, met dat lullige beroep van mij, tóch genieten van de vliegtuigen die daar in slagorde gereedstonden, Gloster Meteors die schitterden in de zon, ik kon de minerale geur van kerosine opsnuiven, de vliegers naar hun 'kist' zien lopen met de helm onder de arm en zien 'waarvoor ik het deed'. Een groene, door witte betonbanen doorsneden vlakte, daarboven het Friese zwerk. Daarin konden enkele Thunderjets buitelen; die waren afkomstig van de vliegbasis Eindhoven. Dat wist ik, dat had ik een week tevoren ontcijferd. En dan gingen van een gestationeerde Meteor plotseling de motoren aan. Dan werd ik weggeblazen, met fiets en al. En dan vond ik dat fijn.

De trompet

Wat mij had bezield op een tafeltennisclub te gaan, weet ik niet. Ik denk om mijn moeder een plezier te doen. Ze kon hopen dat ik daar een aardig meisje zou ontmoeten, per slot was ik al tweeëntwintig; in elk geval was het goed dat ik 's onder de mensen kwam. Ik studeerde wiskunde, maar niet op de meest gezonde manier. Ik was geen student, ik liep geen college. Ik had een stapel studieboeken gekocht. Ik had het idee dat ik die boeken ook wel zou begrijpen zonder de uitleg van anderen en studeerde in het kamertje achter de keuken, waar ik ook sliep.

Om de zinnen te verzetten, maar ook dus om mijn moeder een plezier te doen ging ik eens in de week, de donderdag, naar de Parkweg, aan het andere eind van de stad, om er in het gymnastieklokaal van een lagere school wat te pingpongen. We waren met z'n achten, twee getrouwde stellen, een onderwijzer die op kamers woonde, een typiste, een verkoopstertje dat Jozefina heette – en ik. Ik was penningmeester en zorgde ervoor dat de centen binnenkwamen. Zelden had men geld bij zich, zodat ik nogal eens erop uittrok om het geld bij de mensen thuis op te halen, daar ben ik erg goed in.

Het verkoopstertje, Jozefina, en ik vonden elkaar wel geschikt. Aan de pingpongtafel vormden wij een paar. Ik bracht haar altijd even naar huis, dat vond ik wel zo hoffelijk. Toch stond de ontwikkeling mij niet aan. 't Was allemaal te eenvoudig. Mijn studie ook, laat ik dat er meteen bij zeggen, hoe snel ik ook vorderde. Het had geen allure. Je hebt planten die, om te bloeien, nu en dan verpoot moeten worden. Zo'n plant ben ik. En aangezien er niemand is die mij verpoot, moet ik het zelf doen. Dat vind ik in principe niet prettig. Dat is het plantaardige aan mij. Ik hou er niet van. Maar het moet wel gebeuren. En het moet een besluit zijn. Niet iets dat je gewoon maar overkomt.

Ik nam het besluit naar Amsterdam te verhuizen.

En toen ging, totaal onverwacht, de zon op. Nooit geweten dat er een zon was. De grijze ochtendstond, een ets nummer zoveel uit honderd, heb ik altijd gedacht, is goed genoeg voor mij. Ik hoef geen kleuren, maar nu was ineens de hele wereld vol kleur. De wereld is, welbeschouwd, niets anders dan kleur.

De zonsopgang staat in mijn geheugen genoteerd als de trompet in de Tweede Symfonie voor Strijkers van Arthur Honneger. Die symfonie is een somber, wroetend stuk, een drassig stuk land vol regenwormen. Het componeren van het stuk kostte hem, kan men lezen, grote moeite, hij heeft er vijf jaar over gedaan, de lengte ervan is nog geen halfuur en er lijkt geen schot in te zitten. Maar daar is dan ineens, dat wil zeggen pas in het derde deel, die trompet ('ad libitum' schrijft de partituur voor) die een koraal speelt in lange, hele noten. 'Stralend' zoals de componist zou zeggen, 'als een zonsopgang, maar ook weer niet heel anders dan het voorgaande. Men moet het horen als een orgelregister dat is opengetrokken door de speler, niet eens door de componist.'

De zon die opkwam in mijn leven, toen hij niet nog langer tegen te houden was – niets verklankt beter mijn transfiguratie in 1957 dan die Tweede Symfonie van Honneger. Een trompet die zich onder de strijkers schaart. Ad libitum.

Eenmaal in het licht, lijkt de duisternis om je heen zwarter dan ooit. Je begrijpt niet dat je het daar zolang hebt uitgehouden, vanuit het licht gezien is dit niet te begrijpen. Je zult niet meer terugkeren.

Er zijn nog meer redenen tot verbazing. Nooit heb je het ervaren, maar nu ervaar je het aan den lijve, onbedoeld maar weldadig: gebeurtenissen komen in een bepaalde volgorde te staan, je leven heeft voortgang als een versnelde, turbulente, dat wil zeggen zichzelf inhalende stroom. Je weet: het leven is zinloos, maar de dingen onderling geven wel degelijk zin aan elkaar, zonder het ene is het andere er niet.

De vrijdagavonden

Mattheüs Blok had ik op de Hereweg ontmoet – puur toevallig. Ik kende hem van school, hij zat in de parallelklas. Hij wekte mijn interesse pas toen hij van school ging en het gerucht achterliet dat hij monnik wilde worden in een boeddhistisch klooster op Sri Lanka, dat toen nog Ceylon heette.

Dat was in '51. Sindsdien zag ik hem wel 's in de stad; blijkbaar werd zijn vertrek naar het Oosten telkens uitgesteld of misschien had hij zijn belangstelling voor het boeddhisme verloren.

Ik kwam hem tegen ter hoogte van de gevangenis. Hij fietste naar de stad, ik kwam er net vandaan. De weg is daar vrij breed en het was dus een gelukkig toeval dat mijn oog op hem viel, helemaal aan de overzijde. Hij fietste niet hard, een hand op de knie. Ik fietste de weg over en haalde hem in bij het Sterrebos. Ik kwam langszij en vroeg of hij mij nog kende. Hij glimlachte, hij kende mij nog. We reden voort en ik vroeg of ik een afspraak met hem kon maken, om 'wat dingen' te bespreken. Hij voelde goed aan wat ik daarmee bedoelde. We stonden stil, hij gaf mij zijn adres. Helper Brink zoveel, ik hoefde het niet op te schrijven, ik 'onthield het wel'. Aanstaande vrijdag acht uur. Prima. Oké. Tot ziens dan en ik zwaaide af, met een grote boog de Hereweg over en vervolgde mijn weg naar het zuiden.

We hadden geen agenda's hoeven 'trekken'. Het tekent onze jeugd, en onze eenzaamheid.

Ik had wel een agenda, maar die gebruikte ik als dagboek. Niet een verslag van wat ik allemaal beleefde, maar van mijn gedachten en ideeën. Een filosofisch dagboek dat werkte met kleine indelingen en schemaatjes, die mij vertelden hoe de wereld, ikzelf en de mens in het algemeen in elkaar zaten. Ik werkte met symbolen, vierkantjes, driehoekjes en gewichten. Mijn denken was uiterst polair, ik dacht graag in zwart/wit – bepaald niet volgens de mode van die tijd. Je moet erg behendig zijn in het verwisselen van twee kleuren, bijvoorbeeld wit bedoelen als je zwart zegt en een volgende keer als je wit bedoelt, blijf je dat gewoon wit noemen. Consistent hoef je niet te zijn als je maar coherent bent, als de boel maar samenhangt. Het leek mij dat dit met zenboeddhisme te maken had. De ontmoeting met Mattheüs Blok kwam mij gelegen. Mijn hoofd knetterde van de nieuwe ideeën.

Hij bewoonde een klein kamertje, één hoog, van een herenhuis. Aan de muur wat Chinese prenten. Echt een piepklein kamertje. We zaten tegenover elkaar. Ik vertelde hem, ter introductie, van mijn denkoefeningen. Het denken is niet logisch. Logica is iets dat van buitenaf aan ons denken is toegedacht. Ik vertelde hem dit, zei ik, omdat ik wilde weten of het waar was wat ik dacht. Mattheüs dacht na, en knikte tenslotte (alsof hij bij een hogere instantie te rade was gegaan), hij keurde mijn gedachte goed. Mijn denkmethode was juist. Daar was ik blij om. Dan konden we beginnen, zei ik, dan was de basis tenminste goed.

'Er is geen basis' zei Mattheüs vlak. Alsof het een feit was.

'Nou ja, bij wijze van spreken.'

'Nee, ook niet bij wijze van spreken. Er is geen Plato...'

Een krachtige uitspraak, die mijn fantasie zou prikkelen. Hier had ik wat aan. Dit reinigde de ziel.

Ik bezocht hem elke vrijdagavond, drie maanden lang. Een soort trimester. Mattheüs studeerde Oosterse talen, waartoe hij twee dagen per week in Leiden verbleef, had een baantje op het kantoor Stadsbezittingen en kreeg nu ook nog elke vrijdagavond mij over de vloer. Ik had geen zin om me te verontschuldigen. Per slot was ik ook niet de eerste de beste. We werkten hard. Zijn denken was zuiver. Het was niet literair, niet retorisch, zoals het mijne. Waarheid kan overtuigen door haar schoonheid. Een lelijke zin overtuigt niet en is dus niet waar. Hij 'weigerde' dat te geloven. Hij haalde de werkelijkheid erbij, als zijn grote broer. Dat was ook mijn grote broer. Wiskunde is gebouwd op evidenties. Dat is het gebied waar de waarheid aan de oppervlakte komt en werkelijkheid heet. 'Maar', zei ik, 'als de werkelijkheid zich onttrekt aan onze waarneming, wat blijft er anders over dan de vorm?'

Ik word pathetisch op zulke momenten, wat hem deed zuchten. De werkelijkheid is een probleem, dat gaf hij toe. Zij geeft zich niet gauw gewonnen. Ze is een moreel probleem. Aan morele problemen, vertelde ik hem, ben ik nog niet toe. Dat zei ik in 1957. We zijn nu veertig jaar verder en ik ben er nog niet aan toe, al heeft het probleem een zekere kleur gekregen. Maar toen was ik er absoluut niet aan toe. Ik wilde de werkelijkheid. Niets dan de werkelijkheid en de gehele werkelijkheid. Niet elke werkelijkheid kun je zien, maar beschrijven kun je 'm wel, zei ik, en dat noem ik filosofie.

Filosofie is iets dat je opschrijft. Een filosoof die niets opschrijft, is geen filosoof, die telt niet mee. Inderdaad, er is zonder Plato geen Socrates... Daarnaast heb je de werkelijkheid van de dingen die je wel kunt zien, dat noemen we wetenschap en de beschrijving ervan noemen we wiskunde. Godzijdank is er de wiskunde. Het nimmer falende schrift. Wie wiskunde bedrijft, zei ik, beitelt aan de eeuwigheid.

Als voorbeeld gebruikte ik de projectieve meetkunde, een meetkunde waar elke twee lijnen een punt bepalen, ook als ze evenwijdig lopen, en elke twee punten een lijn, ook als ze samenvallen. Wanneer je dit als axioma nam, kon je van elke stelling haar (duale) *tegen*stelling bewijzen. Je las lijn waar 'punt' stond en punt waar 'lijn' stond, ad libitum, niet noodzakelijk consistent en we waren terug bij ons zwart/wit-probleem.

We gingen verder met de logica. Ook de logica berust op evidenties. We lazen Bochenski's *Zeitgenössische Denkmethoden* en zijn *Formale Logik* zonder, naar mijn idee, dichterbij de kern te komen.

'Er is geen kern.'

Als dat waar is, heb je ook niets aan de logica. 'Wat overeind blijft,' zei ik, 'is een wiskunde zonder logica. Niet de logica brengt de wiskunde verder, maar de alogische menselijke geest.' Toen viel natuurlijk de naam Brouwer, L. E. J. Brouwer, van wie we ons afvroegen of hij nog leefde. In elk geval was hij met emeritaat. Maar zijn leerling Heyting was van 1900, die leefde vast nog wel. Die woonde in Amsterdam en zou ongetwijfeld nog colleges geven. Mijn besluit naar Amsterdam te verhuizen kreeg daardoor extra gewicht.

Het was een van onze laatste bijeenkomsten. Mattheüs zou die zomer voor een jaar naar Ceylon verhuizen.

De laatste dagen

Ik had niets meer te doen en fietste door de straten van de stad. De zon scheen, het had net geregend maar koud was het niet. Ik fietste door het plantsoen en genoot van het leven. Heb je een vrouw, dan heb je er meteen twee, of drie en heb je er geen, dan blijf je alleen. Ik reed zoals gezegd door het plantsoen en ter hoogte van de Kruisstraat ging mijn stuur automatisch naar links. Ik wilde wel 's weten hoe het nou met haar was. Prinsesseweg 32.

Ik moest aan de overzijde zijn, keerde om bij het spoor en fietste terug. Bij nummer 32 stapte ik af. Zette de fiets tegen de boom en belde aan alsof het mijn dagelijks werk was op Prinsesseweg 32 aan te bellen. Er werd niet opengedaan. Een meisje met een springtouw kwam naar mij toe. 'Ik zoek Sanne' zei ik.

'Moet u m'n zuster hebben?' vroeg het meisje. 'Die is niet thuis. Ze is met vakantie.'

Dat was jammer. Niets aan te doen, zei ik en ik sprong op mijn fiets en reed het trottoir af.

Ik fietste. En vervolgens probeerde ik het nog 's in de Celebesstraat. Irmgard. Celebesstraat, voorbij de Ceramstraat, daar ergens woonde Irmgard. Het nummer wist ik niet. Ik fietste langzaam, in de hoop dat ik haar zomaar zou tegenkomen, maar geen Irmgard die op mij kwam toe rennen en ik fietste terug naar huis.

De volgende dag was ik met Koosje. De zon scheen en we fietsten de stad uit, langs de volkstuintjes van de Hoogte, het fietspad langs het kanaal. Achter elkaar, want het was een smal fietspad. Na het viaduct werd de weg breder en fietsten we naast elkaar, hand in hand. Koosje neuriede en we waren tevreden met de wereld. Het kanaal lag stil, er was geen wind en links, in de verte, klonk de stad.

We waren ergens in het gras gaan liggen. Ze gaf les op de

kleuterschool, mijn kleuterschool en ik had haar gevraagd of de kinderen nog altijd zelf een tuintje hadden waar ze een goudsbloem kweekten. Nee, de kinderen hadden geen tuintje, hadden ze vroeger dan een tuintje? Ze lag achterover, de ogen dicht en ik bewerkte haar met een graspluim, die ik tussen duim en vinger ronddraaide. Heel lichtjes. Zodat ze het bijna niet voelde.

's Middags waren we in de stad. Liepen we in de Herestraat met een grote ijsco, met een parapluutje. Kwam er nog een zwerver naar mij toe die zei, op mijn ijsje wijzend: meneer dit valt me van ú tegen. Omdat ik er zo als een heer uitzag, meende Koosje.

We liepen C&A binnen, om te zien of Jozefina aan het werk was. Ze was aan het werk, op de kraamafdeling. Ze zag ons, we gingen naar haar toe en ze vroeg spottend of de baby al op komst was. We grinnikten wat. We waren C&A binnengegaan omdat ik Koosje wilde laten zien wie Jozefina was. Ze had Jozefina nog nooit gezien, maar toen we naar buiten gingen zei ze, dat ze haar wel kende. We fietsten naar het Stadspark, hand in hand, om de wereld te tonen dat er tussen ons helemaal geen Jozefina was en vonden een plekje op het terras aan de vijver.

Koosje kende ik nog maar kort. Ik had met haar een bijzondere herinnering gemeen: die aan een zomerkamp voor meisjes, in de bossen bij Havelte. Vier weken terug. Alleen voor meisjes, ook de leiding bestond uit meisjes. Twee mannen waren er, Rob en ik – om eventueel andere, ongenode, mannen te woord te staan. We sliepen in een aparte tent. Maar Rob was met Magda, leidster van tent 1 en ik was met Koosje, leidster van tent 2. Op onze avondwandelingen, als de meisjes in hun slaapzak waren gekropen en de lichten waren gedoofd, dwaalden Koosje en ik langs de bosrand, snoven we de geuren op van de nacht en van elkaar. Staande in elkaars armen, of liggend, de brillen weggelegd om elkaar te kussen – tot we buiten adem waren. En dan stonden we weer op, zochten onze brillen en liepen in de merkwaardig lichte nacht terug naar onze tenten. Soms kwamen we Rob en Magda tegen, ook op weg naar de tent – of nog niet.

Overdag waren er de spelletjes, de wedstrijden, de wandelingen en de regen. Aan de spelletjes deden we niet mee, Rob en ik. Aan de wedstrijden wel. Soms ontaardde dit in wedstrijden tussen ons beiden: wie het hardste lopen kon, het hoogste of het verste kon springen. Omdat Rob gymnastiekleraar was en ik niet, had ik niets te verliezen.

De boswandelingen waren, vooral 's avonds, een avontuur in zoverre dat niemand de weg wist. Een paar meisjes hielden me onbekommerd aan de arm en de rest zwermde om ons heen. En maar praten. Lieve, aanhankelijke meisjes, gevaarlijke meisjes, stille en vrolijke, geëxalteerde meisjes, ongelukkige meisjes, stiekemerds, krengen. We liepen met een lantaarn, wat de bossen en de hemel daarboven donkerder maakte dan nodig was.

En die keer dat we van plan waren te wisselen, 's nachts. Ik met Magda en Koosje met Rob. Daar had ik wel oren naar en ik vond het jammer dat het niet doorging, uiteindelijk.

En dan heb je, een relikwie uit de studentenwereld, de ontgroening. De meisjes wachten in hun tenten af wat er met hen zal gebeuren. Twee bij twee worden ze opgehaald en voorgeleid voor de commissie, die ze vervelende vragen stelt en beledigende, onterende opmerkingen maakt. Als je meisjes wilt zien schreien, wat wel iets aantrekkelijks heeft, moet je dát doen. Zelfstandige, weerspannige types zoals Irmgard kregen er het meeste van langs. Die kleine, frêle Irmgard, die mij al 's verongelijkt had gevraagd wat we daar déden, 's nachts, in het bos, Koosje en ik, – die kreeg door haar aard ongenadig op haar lazer, maar ze gaf geen krimp.

Wat we daar déden, Koosje en ik, 's nachts, in het donker – niets dat niet het daglicht mocht zien. Behalve de laatste nacht, dat was de eerste dat we elkaar voelden, dat onze vingers voelden wat ze nog niet eerder hadden gevoeld – en daar lieten we het bij.

En Rob die me toevertrouwde dat hij Magda, met wie hij toch zo'n beetje verloofd was, wel wou ruilen voor het meisje Irmgard, dat hij 'een raspaardje' noemde.

En die middag toen het zo regende – de laatste middag. Het regende en we hadden ons allemaal in de tenten teruggetrokken. In het stro. Ik lag op m'n rug met Koosje tegen me aan die sliep of deed alsof ze sliep. In mijn linkerarm had ik Sanne geborgen. Mijn arm beschermend om haar heen, zodat ik haar ribbenkast kon voelen en mijn hand de rust vond onder een warme, volle borst. En in mijn rechterarm had ik Irmgard, die met mijn vingers speelde en ze telkens gepassioneerd aan haar lippen hield. Dieren in het stro waren we, zo rustig. En tegelijk zo onrustig...

De volgende dag fietsten we naar huis, langs de Hoofdvaart naar het noorden. Sanne en ik naast elkaar, op onze oude fietsen. Ze vertelde van thuis, van school ('als ik m'n huiswerk niet af heb kan ik niet slapen'), van haar broertje en wat ze eiste van de mensen: eerlijkheid.

En toen waren we in de stad en toen gingen we wuivend uit elkaar.

Nog wekenlang droeg ik haar naam en wezen in me mee. Ik fietste in de stad, in de hoop haar toevallig te ontmoeten en misschien in de hoop dat ik toevallig Irmgard tegenkwam. Maar dan toch niet zonder Sanne. Niet zonder mij te kunnen overgeven aan de pijn van een verboden liefde voor dit stille meisje. Zo dacht ik voortdurend aan Sanne en haar onmogelijke, schandalige leeftijd van veertien jaar.

's Avonds ging ik met Koosje naar de kermis, hadden we onze laatste uren samen. De volgende dag, de negenentwintigste augustus, stapte ik met koffer en fiets in de trein naar Amsterdam.

GERRIT KROL

Constantijn Huygensprijs 1986

De rokken van Joy Scheepmaker (roman, 1962)
Het gemillimeterde hoofd (roman, 1967; prozaprijs van de gemeente Amsterdam 1968)
De ziekte van Middleton (roman, 1969)
De laatste winter (roman, 1970)
APPI (essay, 1971)
De chauffeur verveelt zich (roman, 1973)
In dienst van de 'Koninklijke' (roman, 1974)
De gewone man en het geluk of *Waarom het niet goed is lid van een vakbond te zijn* (essay, 1975)
Halte opgeheven (verhalen, 1976)
Polaroid (gedichten, 1976)
De weg naar Sacramento (roman, 1977; Multatuliprijs 1978)
Over het huiselijk geluk en andere gedachten (columns, 1978)
De tv.-bh. (columns, 1979)
Een Fries huilt niet (roman, 1980)
Wie in de leegte van de middag zweeft (gedicht, 1980)
Hoe ziet ons wezen er uit? (essay, 1980)
De schrijver, zijn schaamte en zijn spiegels (essay, 1981)
Het vrije vers (essay, 1982)
De man achter het raam (roman, 1982)
Scheve levens (roman, 1983)
De schriftelijke natuur (essays over kunst en wetenschap, 1985)
Maurits en de feiten (roman, 1986)
Bijna voorjaar (columns, 1986)
Helmholtz' paradijs (columns over kunst en wetenschap, 1987)
De weg naar Tuktoyaktuk (roman & essay, 1987)
Een ongenode gast (novelle, 1988)
Voor wie kwaad wil. Een bespiegeling over de doodstraf (1990)

De Hagemeijertjes (roman, 1990)
Wat mooi is, is moeilijk (essays, 1991)
Oude foto's (verhalen, 1992)
De reus van Afrika (reportages, 1992)
Omhelzingen (roman, 1993)
Okoka's Wonderpark (roman, 1994)
De mechanica van het liegen (essays, 1995; Busken Huetprijs 1996)
Middletons dood (roman, 1996)
De kleur van Groningen en andere verhalen (1997)

Over Gerrit Krol

Ad Zuiderent *Een dartele geest*, Aspecten van *De chauffeur verveelt zich* en ander werk van Gerrit Krol (1989)